SAVOIR ÉCRIRE
SAVOIR TÉLÉPHONER

CHEZ LE MÊME ÉDITEUR

J. CELLARD, *Le subjonctif : comment l'écrire, quand l'employer ?* 3e édition.

J. CELLARD, *500 mots nouveaux définis et expliqués.*

J. CELLARD, *Les 500 racines grecques et latines les plus importantes du vocabulaire français. 1. Racines grecques.*

J. CELLARD, *Les 500 racines grecques et latines les plus importantes du vocabulaire français. 2. Racines latines.*

J.-P. COLIGNON et P.-V. BERTHIER, *La pratique du style. Simplicité - précision - harmonie.*

J.-P. COLIGNON et P.-V. BERTHIER, *Pièges du langage 1. Barbarismes - Solécismes - Contresens - Pléonasmes.*

J.-P. COLIGNON et P.-V. BERTHIER, *Pièges du langage 2. Homonymes - Paronymes - « Faux amis » - Singularités & Cie.*

J.-P. COLIGNON, *Guide pratique des jeux littéraires.*

J.-P. COLIGNON, *Savoir écrire, savoir téléphoner. Guide pratique de la correspondance et du téléphone.* 2e édition.

A. DOPPAGNE, *La bonne ponctuation : clarté, précision, efficacité de vos phrases.*

A. DOPPAGNE, *Les régionalismes du français.*

A. DOPPAGNE, *Majuscules, abréviations, symboles et sigles.*

A. DOPPAGNE, *Guide pratique de la publication. De la pensée à l'imprimé.*

R. GODIVEAU, *1000 difficultés courantes du français parlé.* 2e édition.

M. GREVISSE, *Savoir accorder le participe passé. Règles - exercices - corrigés.* 4e édition.

M. GREVISSE, *Quelle préposition ?* 3e édition.

M. LACARRA, *Les temps des verbes. Lesquels utiliser ? Comment les écrire ?*

J.-P. LAURENT, *Rédiger pour convaincre. 15 conseils pour une écriture efficace.*

Jean-Pierre COLIGNON

SAVOIR ÉCRIRE SAVOIR TÉLÉPHONER

Guide pratique de la correspondance et du téléphone

DEUXIÈME ÉDITION

DUCULOT

DU MÊME AUTEUR

Aux éditions Duculot :

La Pratique du style (1978)
Pièges du langage 1 (1978 ; en collaboration avec P.-V. Berthier)
Pièges du langage 2 (1979 ; en collaboration avec P.-V. Berthier)
Guide pratique des jeux littéraires (1979)

Aux éditions Hatier (coll. « Profil Formation ») :

Testez vos connaissances en vocabulaire [contemporain] (1979)

Aux éditions Solar :

Le Français pratique (1979 ; en collaboration avec P.-V. Berthier)
Lexique du Français pratique (1981, en collaboration avec P.-V. Berthier)

Auto-édité (chez l'auteur : 25, av. F.-Buisson, 75016 Paris) :

La Ponctuation. — Art et finesse

(*Imprimé en Belgique sur les presses Duculot.*)
D. 1983, 0035.11
Dépôt légal : mars 1983
ISBN 2-8011-0430-2
(ISBN 2-8011-0308-X, 1re édition)

AVANT-PROPOS

Une lettre est un véritable entretien par écrit. La moindre négligence, le moindre laisser-aller dans la présentation matérielle du texte, un exposé désordonné et confus, un vocabulaire insuffisant, familier ou argotique, tout cela sera remarqué par le destinataire de la lettre, qui ne se croit pas toujours tenu de faire montre d'indulgence.

La lettre constitue une sorte de photographie où ressortent très nettement tous les aspects de la personnalité du scripteur. N'oublions pas que les écrits restent !...

Sans être nécessairement un exercice de style, la rédaction d'une lettre — lettre privée ou lettre commerciale — doit satisfaire à quelques qualités essentielles : la convenance, la clarté, la simplicité, le naturel, l'ordre. L'ouvrage présent s'efforce de donner quelques conseils pratiques en ce sens.

Lors d'une conversation téléphonique, un débit précipité ou, au contraire, trop lent, un ton de voix hésitant, peu naturel, une élocution maladroite, un langage négligé, feront fatalement une impression défavorable à l'interlocuteur. Là aussi, un certain « code » est à respecter, dont nous essaierons de présenter quelques principes.

Nous ne revenons pas, dans cet ouvrage, sur la réprobation de fautes grossières telles que les *barbarismes* (fautes portant sur la construction des mots), les *solécismes* (mauvaises constructions de phrases) ou les confusions homonymiques ou paronymiques. Ce sont là des maladresses majeures qu'il convient de bannir de l'expression, écrite et orale.

Rappelons qu'il faut sans cesse se reporter aux bons dictionnaires et ouvrages de grammaire tels le *Bon Usage* de Maurice

Grevisse (Éd. Duculot) ou le *Dictionnaire des difficultés de la langue française* d'A.V. Thomas (Larousse) : ces grands guides nous incitent à proscrire nos mauvaises habitudes — sémantiques ou syntaxiques — qui empoisonnent nos « exercices de style » de tous les jours : les lettres et les entretiens téléphoniques.

J.-P. C.

CHAPITRE PREMIER

SAVOIR ÉCRIRE

Les commodités offertes par le développement des techniques (téléphone, appareils récepteurs-enregistreurs, télex, magnétophones, vidéodisques...) et les facilités apportées aux communications (amélioration du réseau routier, multiplication des lignes aériennes, vitesse très accrue des trains sur certains trajets reliant capitale et métropoles régionales) font que de nos jours la correspondance privée est en régression. Ce qui n'est pas le cas — bien au contraire ! — du courrier commercial et d'affaires : chacun de nous reçoit chaque semaine des kilos de prospectus publicitaires, de circulaires, de journaux « gratuits », de tracts, de relevés bancaires, de lettres administratives ou de formulaires épais qu'une administration tatillonne ou courtelinesque nous demande de remplir en quantité d'exemplaires.

Aussi perdons-nous l'habitude de la correspondance personnelle et, par là, l'aptitude à écrire correctement une lettre et même le goût d'écrire... Pourtant, il faut savoir que rédiger une lettre (lettre d'affaires, lettre de sollicitation, lettre de bienséance, lettre d'amitié, etc.) fait partie du « savoir vivre » (sans trait d'union, ici : il ne s'agit pas uniquement des usages du monde et de la politesse).

Savoir écrire une lettre, c'est la rendre attrayante pour le destinataire : celui-ci doit *tout* lire. À nous d'adapter le contenu et la présentation à la personne du destinataire — lettre affectueuse, amicale, amusante pour donner des nouvelles aux parents et amis ; lettre professionnelle pour répondre à une offre d'emploi ; lettre courtoise pour décliner une invitation ; lettre circonstanciée pour formuler une requête, une demande.

Nous ne traitons pas dans cet ouvrage — sauf sous forme de remarques suivant quelques modèles de lettres — de ce que l'on pourrait appeler le « style épistolaire », non plus que des règles générales de grammaire, de structure des phrases, à observer pour une rédaction correcte. Nous ne reviendrons pas davantage sur l'exposé de certaines fautes d'orthographe ou de syntaxe. Nos lecteurs trouveront entre autres dans cette même collection un certain nombre de guides « spécialisés » traitant d'un aspect particulier du « bon usage » de la langue écrite ou signalant telle ou telle catégorie de négligences ou de fautes à bannir de notre pratique du français.

Nous nous attacherons ici à attirer l'attention sur l'importance de l'aspect matériel de la lettre (enveloppe, papier, crayon, stylo, encre...) et de sa présentation (écriture, en-tête, marge), puis sur la façon dont doit être conçu le « corps » d'une lettre.

Ensuite seront étudiées les formules de civilité (en-tête et formules finales) répondant aux divers types de correspondance. Enfin, nous donnerons un certain nombre d'exemples de formulation de lettres que nous sommes amenés à écrire dans notre vie de tous les jours.

LES MATÉRIAUX

Le papier

Tout comme le contenu, le papier doit être adapté au destinataire. Un mot urgent adressé à un ami proche, à de jeunes parents, peut être rédigé sur n'importe quelle qualité de papier : vous savez qu'on ne s'en offusquera pas. En revanche, format, couleur, voire épaisseur du papier, influenceront incontestablement le jugement porté par un destinataire « officiel » : haut fonctionnaire, supérieur hiérarchique, amis âgés attachés aux conventions épistolaires...

Pour toute lettre administrative ou d'affaires, le papier blanc de bonne qualité s'impose. N'écrivez pas sur un somptueux vélin vert pomme pour solliciter de votre percepteur des délais de versement d'impôts ; ne prenez pas une feuille à petits carreaux pour adresser une requête au préfet du département ; n'utilisez pas un minuscule feuillet détaché d'un bloc-notes lorsque vous vous adressez au sénateur dont vous attendez un service...

Les hommes s'en tiendront à des papiers de qualité et de forme classiques : un correspondant pourrait s'offusquer de recevoir un papier fortement coloré, de forme bizarre (rond, dentelé...), ligné à grands traits... ou parfumé ! Pour la correspondance privée, un homme peut fort bien utiliser un papier de couleur sobre et discrète : gris perle, ivoire, chamois, bleu pâle... Les femmes et les jeunes filles peuvent se permettre plus de fantaisie, de même que les enfants. Ces derniers ont à leur disposition une vaste gamme de papiers à lettres : lignés, illustrés, etc.

Une lettre officielle sera plutôt rédigée sur le format commercial (21 × 29,7 cm), et cela même si le texte est court. Dans ce dernier cas, on s'efforcera de laisser un interligne important entre deux lignes — sans trop « blanchir » évidemment. Le format ne présente pas ce même caractère de convenances lorsqu'il s'agit de correspondance privée. Attachez-vous toutefois à ne pas jeter trois ou quatre mots sur un format commercial ou à vouloir faire tenir sur un feuillet trop petit un texte interminable, ce qui vous amènera à écrire en « pattes de mouche » et à terminer votre discours en casant les dernières phrases dans tous les recoins possibles du feuillet.

On peut faire graver ou imprimer le papier à lettres afin de le personnaliser. Cela permet de ne pas avoir à écrire nom et adresse à chaque fois et évite au destinataire d'avoir à déchiffrer avec peine ces renseignements si l'écriture du scripteur est peu lisible. Géné-

Jean-Pierre DURANT
3, rue de Tolbiac
92120 MONTROUGE

Michel DUPONT
22, rue J.-Jaurès
04000 DIGNE

Jacques MOULIN

2, rue de Brest 78250 MEULAN

Ghislaine PINGOUIN
609.23.72

ralement, les indications imprimées consistent en : nom et adresse, ou adresse et téléphone, ou nom seul, ou bien encore adresse seule. Cela, pour la correspondance privée. Un membre de profession libérale mentionnera ses titres et qualités. Le plus souvent, ces lignes s'inscriront à gauche et en haut, mais on peut très bien les faire figurer au centre du feuillet — ou bien en bas de feuille.

L'enveloppe

L'enveloppe doit être assortie au papier à lettres, en tenant compte du format et de la couleur. Éviter de mettre un minuscule billet dans une enveloppe de grandes dimensions, ou un feuillet grand format dans une enveloppe de carte de visite.

Utiliser de préférence des enveloppes doublées de papier pelure : elles découragent les éventuels indiscrets qui voudraient lire par transparence, et ne trahissent pas la présence d'un chèque, de timbres, voire de billets de banque (que des imprudents, contrevenant à la loi [en France], se risquent encore à glisser dans des plis non recommandés). Généralement, il vaut mieux choisir des enveloppes de forme carrée : le feuillet sera plié en quatre, alors que les enveloppes de format plus allongé obligent souvent l'expéditeur à plier sa lettre en trois ou en quatre dans le sens de la longueur puis à replier dans le sens de la hauteur, ce qui donne à la lettre une épaisseur parfois gênante et contraint le correspondant à défroisser une missive qu'il recevra « subdivisée » en six ou en huit « quartiers » du fait des pliures. Si une lettre doit être classée dans un dossier, il est désagréable de conserver ainsi un feuillet qui semble littéralement chiffonné et peu soigné.

Le destinataire peut ouvrir maladroitement, précipitamment ou brutalement l'enveloppe sans prendre un coupe-papier ou des ciseaux. Il est donc prudent de laisser une marge en optant pour une enveloppe qui sera légèrement plus grande que la lettre pliée. Afin d'éviter les déchirures les plus fâcheuses, insérer d'abord dans l'enveloppe le côté plié du feuillet. Le destinataire ouvrant toujours une enveloppe par le haut ou sur le côté, il y aura ainsi de bonnes chances pour que le correspondant nerveux ne déchire que la marge du haut de lettre ou celle des côtés — et non une partie du « ventre » du feuillet qu'il jetterait immédiatement avec l'enveloppe.

Les enveloppes munies d'une sorte de « fenêtre » en papier transparent qui laisse voir le nom et l'adresse du destinataire doivent être réservées pour la correspondance commerciale (envois de factures, de devis, de relevés...). Elles évitent de glisser dans une enveloppe une lettre destinée à un autre correspondant — risque qui existe avec les enveloppes ordinaires. Veiller toujours à s'assurer, lorsque l'on écrit dans une même « séance de courrier » à plusieurs personnes, que l'on n'a pas commis semblable méprise.

L'encre, le stylo

Les vieux guides du « savoir écrire » condamnaient formellement toutes les couleurs d'encre autres que le noir, le bleu ou le violet. De nos jours, on admet une plus grande variété de tons. Un parent, un proche, ne s'offusquera pas de recevoir une lettre tracée dans un beau vert émeraude ou en rouge carmin. Mais il convient toujours d'adopter une couleur plus sobre pour une correspondance officielle ou professionnelle.

Une encre trop pâle — même si sa couleur s'inscrit dans les teintes « classiques » — est à proscrire : le destinataire aura parfois du mal à tout déchiffrer.

Naguère, on ne tolérait que le stylo à plume ou le porte-plume pour la correspondance officielle. L'usage a évolué et le stylo à bille et le stylo-feutre sont acceptés quasi généralement. Cependant, on n'utilisera pas un stylo à bille qui « bave » ou un feutre dont la pointe serait écrasée.

Bien évidemment, le crayon est TOUJOURS À PROSCRIRE.

La machine à écrire

Les « puristes » du savoir-vivre condamnent sans appel la dactylographie pour la correspondance privée. Effectivement, un texte tapé à la machine montrera toujours moins de présence humaine et de chaleur que des lignes manuscrites. Pour cette raison, dans la correspondance dite « mondaine » — lettres de félicitations, de condoléances... —, lorsque l'on veut exprimer son amitié ou son affection ou marquer du respect, il vaut mieux s'en tenir à son écriture, même si elle n'est pas d'une lisibilité parfaite.

En revanche, la correspondance commerciale et officielle sera dactylographiée : l'efficacité due à la lisibilité, la possibilité d'avoir immédiatement un ou deux doubles sans recourir à une photocopieuse, rendent indispensable l'emploi d'une machine.

Si le scripteur n'a pas une écriture très lisible, on ne peut que lui recommander de taper à la machine toute lettre destinée à un correspondant étranger ne connaissant qu'imparfaitement le français. Il n'y aura pas là incorrection, mais, bien au contraire, du tact et de la délicatesse.

PRÉSENTATION DE LA LETTRE

La marge et les blancs

L'en-tête [1] d'une lettre [« Chère amie, » ou « Chers parents, », par exemple] se place généralement à peu près au quart de la hauteur de la page. Si le texte est court, on peut « descendre » au

1. On entend aussi par *en-tête* les nom et adresse de l'expéditeur, la raison sociale d'une firme, etc., tout texte écrit et gravé en haut d'un feuillet : *papier à en-tête*.

tiers de la page. L'en-tête précède le corps de la lettre d'un double interligne d'alinéa, voire d'un blanc plus important si l'on veut marquer plus de considération envers le destinataire.

Pour un format de papier standard, la règle veut qu'on laisse toujours une marge à gauche du feuillet. Conventionnellement, on dit qu'elle ne saurait être inférieure à deux centimètres pour une lettre manuscrite, à cinq centimètres pour la correspondance commerciale et officielle. Le destinataire peut ainsi éventuellement annoter la lettre sans surcharger le texte. Mais il faut aussi recommander de laisser une marge à droite, moins importante toutefois. Si la feuille doit être photocopiée, il est en effet déconseillé d'écrirre d'un bord à l'autre de la page : certaines machines fournissent des photocopies dont les bords sont moins nets que le milieu de la page et, d'autre part, toutes ne vont pas jusqu'au format maximum de papier à lettres.

Si la lettre comporte plusieurs feuillets, on doit les numéroter (mais il est superflu de mettre un 1 au recto de la première page !). Car, si le hasard veut que l'on termine un alinéa au bas de chacune des feuilles, l'enchaînement du texte ne ressortira pas forcément avec évidence. On peut ou bien écrire au verso et au recto de chaque feuille ou bien sauter le verso.

Lorsqu'on utilise du papier à lettres présenté sous forme de feuillet double, il faut essayer de « calibrer » mentalement le texte que l'on va écrire. Si la lettre doit être brève, on n'écrira pas au dos du premier feuillet mais on terminera le texte en page 3. Pour un texte que l'on pense plus étendu, on enchaînera en continuant à écrire au verso du premier feuillet.

La date

La date doit figurer dans toute lettre. Certes, le correspondant peut contester cette date même en cas d'envoi recommandé avec demande d'accusé de réception : un destinataire de mauvaise foi peut toujours prétendre que ce n'est pas là la lettre qui était contenue dans ledit envoi. Mais, en dehors de ces cas extrêmes où entre en jeu la malhonnêteté, le fait d'indiquer *avec précision* la date de rédaction de la lettre permet d'éviter aussi bien de pénibles équivoques ou contestations que des incidents agaçants. Le fait d'indiquer seulement le quantième et le nom du mois, si cela est d'un style désinvolte ou familier qui doit être réservé aux parents et aux amis, n'est pas source d'erreur : il faudrait que le destinataire soit absent plus d'une année pour éprouver de la perplexité à la lecture d'une missive datée *15 août* [1979 ?... 1980 ?...]. En revanche, rentrer de quinze jours de vacances d'hiver ou après un mois passé au bord de la mer et trouver un billet ainsi rédigé :

Samedi.

Je quitte Paris. Tu peux me joindre jusqu'à mercredi au 606-72-00.

Paul.

prend de court. L'expéditeur peut être parti depuis trois semaines, sans laisser de nouvelle adresse où l'on puisse le joindre — et, de plus, parti fâché parce qu'on ne l'a pas rappelé...

La date se place en haut et à droite de la lettre ; elle est généralement précédée du lieu d'origine. Et cela à plus forte raison si l'on n'écrit pas de son domicile habituel : sans qu'il soit besoin de fournir des détails dans le corps de la lettre, le destinataire pourra en déduire que le scripteur est momentanément absent de son lieu de résidence et qu'il est inutile de chercher à le joindre avant quelques jours.

La tournure la plus usuelle s'écrira :

Paris, le 30 avril 1980.

mais il n'est pas incorrect de préférer :

Paris, 30 avril 1980.
Mercredi 30 avril 1980.
Le 30 avril 1980.
30 avril 1980.

NOTE : Rappelons qu'un millésime s'écrit sans point : 1980 (et non « 1.980 »).

Nom et adresse de l'expéditeur

S'il s'agit d'une lettre commerciale ou d'une lettre d'affaires, il est nécessaire de mentionner ses nom et adresse, généralement en haut et à gauche de la lettre, afin que le destinataire ait immédiatement connaissance de l'identité du scripteur. Le nom de l'expéditeur sera à la hauteur — ou au-dessus — de la date, qui, elle, figure à droite. Au-dessous de cette date on mettra la « vedette », c'est-à-dire le nom et l'adresse du destinataire, sa raison sociale...

La signature

La signature se place un peu en dessous de la formule finale de civilité, et plutôt à droite que centrée sur cette formule. Le plus souvent, un homme signe de l'initiale de son prénom, que suit le nom. Si l'expéditeur sait que son correspondant connaît plusieurs personnes portant le même patronyme et des prénoms dont l'initiale est commune (Albert Dupont, Alain Dupont, Albin Dupont...), et pense que le destinataire pourrait confondre des écritures, il mettra son prénom en toutes lettres. Entre parents ou intimes,

Bertrand du GAI CLIN
24, rue Tiphaine
92120 MONTROUGE
Tél. : 600-00-01

Paris, le 1er mai 1980

Monsieur,

C'est avec plaisir que je vous informe que notre comité de rédaction a retenu votre manuscrit, qui est maintenant entre les mains de notre directeur général, M. Voltaire.

Veuillez agréer, Monsieur, l'assurance de mes sentiments distingués.

B. du GAI CLIN.

l'indication du seul prénom suffira. Entre amis, on peut aussi adopter un « sigle » composé des initiales des nom et prénom(s). Notre ami Pierre-Valentin Berthier et nous-même signons souvent respectivement nos lettres à des proches : *P.-V.B.* et *J.-P.C.*

Si la signature est peu lisible, alors que la lettre s'adresse à quelqu'un qui peut ne pas la reconnaître, il est prudent, et correct, de répéter le nom au-dessous — en majuscules.

Dans le cas d'une lettre dactylographiée, les nom et prénom seront tapés à la machine, et l'expéditeur signera au-dessus ou au-dessous, peu importe, de cette ligne. Il est parfois utile de préciser la fonction, le titre ou le grade du signataire.

Lorsqu'un employé signe le courrier à la place de son employeur ou de son chef de service, sa signature doit être précédée des lettres *P.O.* (« par ordre ») ou *P.P.* (« pour pouvoir »).

CAS D'ESPÈCE. — Si le prénom du scripteur commence par la lettre M, il y a :

- pour un homme, risque de se voir reprocher sa distance pour avoir — aux yeux de son correspondant — mis « Monsieur » [représenté par l'abréviation conventionnelle « M. »] au lieu de « Marcel » ou de « Maurice » ;
- pour une femme, risque de voir le destinataire croire que la lettre de [Mme] M. Basson est l'œuvre d'un « Monsieur Basson ».

Pour détruire toute ambiguïté, un homme pourra mettre son prénom en toutes lettres s'il s'adresse à une personne dont il est assez proche. Pour éviter toute confusion sur le sexe, une jeune fille ou une femme préciseront, en adoptant une signature qui corresponde aux rapports existant entre scripteur et destinataire : *Mlle M. Basson, Mlle Basson, Marie Basson.*

L'ADRESSE

Par correction envers le destinataire, pour faciliter le travail des postiers (employés du tri et préposés-facteurs) — et aussi afin d'éviter un retard dans la remise du courrier, voire la non-distribution —, il convient d'écrire très lisiblement l'adresse sur l'enveloppe.

On indique successivement (en France) :

- le nom du destinataire, précédé de « Monsieur », « Monsieur et Madame » ou « Mademoiselle » (en toutes lettres, et non avec les abréviations conventionnelles : M., Mme, Mlle) ;
- la rue et le numéro de la rue ;
- le code postal et le nom du bureau distributeur :

Monsieur Pierre Huchet
12, avenue Victor-Hugo
92100 Boulogne Billancourt

REMARQUES :

1) Si le destinataire habite un hameau, un village, où il n'y a pas de nom de rues, et où peuvent résider plusieurs membres de la même famille, ou bien des personnes non apparentées, portant le même patronyme [c'est fort fréquent], il faut absolument indiquer le premier prénom, voire un second si le risque de confusion est très grand. En revanche, si une méprise est impossible, l'adresse étant très précise, on s'abstiendra de mentionner un prénom désuet ou ridicule que le destinataire ne souhaite sûrement pas voir porté ou rappelé à la connaissance d'un trop vaste entourage.

D'une façon générale, le scripteur peut, ou non, indiquer le prénom ou l'initiale du prénom du destinataire. Lorsque l'on écrit à des proches, à des familiers, on peut omettre « Monsieur »,

« Madame », ou « Mademoiselle » : Christine Hache, 23, rue du Départ.

2) On mentionne éventuellement la qualité ou la profession du destinataire :

Monsieur le docteur Blanche

Monsieur Jacques Ducros
Sénateur des Yvelines

Madame Christiane Tricot
Expert près les tribunaux

Il va de soi qu'on n'indique pas les responsabilités politiques ou syndicales d'une personne qui tient à garder la discrétion sur ses activités (« Monsieur Roger Marcq, secrétaire de la section du P.S.I.D. »).

3) Il y a parfois lieu de préciser le numéro du bloc, de l'immeuble ou de l'appartement :

Mademoiselle Jeanne Hachette
Immeuble B, appartement 82
51, rue de Beauvais

4) Le code postal français comporte cinq chiffres collés, sans espaces : 75016 Paris.

5) Le nom du bureau distributeur, en France, doit s'écrire en majuscules et — du fait de la lecture mécanique des adresses — *ne respecte pas entièrement l'orthographe* : on NE MET PAS la ponctuation, les accents, les traits d'union, les apostrophes. Ainsi, les noms des communes de Putanges - Pont-Écrepin (Orne), Penne-d'Agenais (Lot-et-Garonne) et Kerivarc'h (Finistère) seront écrits :

PUTANGES PONT ÉCREPIN
PENNE D AGENAIS
KERIVARC H

Attention au code postal ! Écrire « Pos-de-Calois » pour *Pas-de-Calais* n'est pas dramatique. En revanche, mettre un code postal erroné, incident dû à une consultation trop rapide d'un dictionnaire des communes, peut aboutir à envoyer votre lettre à plusieurs centaines de kilomètres du destinataire : entre « 11290 MONTREAL » et « 32250 MONTREAL », il y a la distance entre le Gers et l'Aude, entre Condom et Carcassonne. Si votre lettre va dans une de ces communes au lieu de l'autre, et si vous n'avez pas pris la bonne habitude d'inscrire votre adresse au dos de l'enveloppe, il est fort à craindre qu'elle ne parviendra jamais à destination.

6) Si le destinataire habite un écart, un hameau, un bourg. qui n'a pas de bureau distributeur, le nom de ce village ou de ce hameau figurera à l'avant-dernière ligne de l'adresse, avant le code postal et le nom du bureau distributeur.

Monsieur Pierre Omnès
Villa « Gwir Vretonned »
Les Yveteaux-Fromentel
61210 PUTANGES PONT ÉCREPIN.

Toutefois, il n'est pas condamnable de mettre ensemble, à la dernière ligne, le nom du village, le code et le nom du bureau distributeur :

Pierre Lacombe
25, rue du Canal
MAZERES 33210 LANGON

Dans ce cas, le nom du village doit lui aussi être en majuscules.

7) Les abréviations conventionnelles pour le nom de la voie sont admises :

avenue : *av.*
boulevard : *bd* (sans point abréviatif puisque la dernière lettre du mot figure dans l'abréviation)
square : *sq.*
place : *pl.*
route : *rte*
rue : *r.*

8) Si l'on écrit à l'étranger, il faut savoir que l'ordre des indications est variable. Afin d'éviter des retards dans l'acheminement du courrier, il convient de se renseigner auprès de ses correspondants. En France, la Poste met à la disposition des usagers un guide donnant toutes les précisions nécessaires.

PLAN - BROUILLON - RELECTURE

Faut-il faire un plan, faut-il faire un brouillon ? Sainte-Beuve a répondu à ces questions quand il disait : « Pour écrire des lettres excellentes, je ne sais que deux manières et deux moyens : avoir un génie vif, éveillé, prompt, à bride abattue et de tous les instants, comme Mme de Sévigné, comme Voltaire, ou se donner le temps de prendre du soin, écrire à main reposée, comme Pline, Bussy-Rabutin, Rousseau, Courier, en deux mots improviser et composer. »

Les personnes qui ont l'« esprit de l'escalier » feront bien de jeter sur brouillon le plan d'une lettre d'affaires, ou d'une lettre officielle ; elles pourront ainsi se garder de tout oubli important dans un texte où chaque mot doit compter et être soupesé. Il convient de n'omettre aucun élément essentiel qui doive absolument être exposé, et de ne pas oublier de répondre, le cas échéant, à une précédente question du présent destinataire.

Le brouillon permet de noter, de « mettre en mémoire », les mots et les expressions dont on veut vérifier l'orthographe ou la signification exacte avant de les écrire ; de mettre « sous surveillance » d'autres expressions que, finalement, on souhaite atténuer ou renforcer, mais pour lesquelles on n'a pas trouvé sur l'instant les formules de remplacement souhaitées.

L'établissement d'un plan — mentalement ou sous forme de brouillon — permet de bannir d'une lettre la confusion, le désordre... et les ratures.

Il faut — *en toutes occasions* — relire le texte d'une lettre, car on doit un même respect au destinataire, que celui-ci soit un parent ou un ami, un supérieur ou un subalterne. Cette relecture permet de corriger — le plus discrètement possible ! — les fautes d'orthographe. Si l'expéditeur juge qu'il a laissé passer de grosses fautes de style, il vaut mieux récrire la lettre.

DERNIERS CONSEILS

• Si l'expéditeur sollicite d'un correspondant (il peut même s'agir d'une personne inconnue) un renseignement (pour des recherches, des études...), la correction veut que le demandeur joigne un timbre pour la réponse, voire une enveloppe timbrée à ses nom et adresse. Généralement, la personne ainsi interrogée ne se sent pas « mise en demeure » de répondre, et au contraire apprécie le savoir-vivre du scripteur. Mais cela ne s'applique pas aux proches et aux intimes, qui, eux, pourraient se vexer.

• *Post-scriptum* est une expression latine, ratifiée depuis longtemps en français, qui signifie « écrit après ». L'abréviation conventionnelle en est : *P.S.*

Un post-scriptum est un petit texte que l'on ajoute pour réparer un oubli, à la fin d'une lettre, après la signature.

Le *post-scriptum* ne peut être accepté que s'il concerne un point de détail ou bien si, entre la rédaction de la lettre et son expédition, il s'est produit un fait qui entraîne une rectification, une modification, du texte. D'une façon générale, le *post-scriptum* est à déconseiller. Il trahit le manque de réflexion du scripteur qui a omis de traiter un point essentiel ; il traduit l'étourderie d'un expéditeur qui, passant du coq à l'âne, ajoute à la file plusieurs P.-S.

Certaines personnes, se croyant habiles et diplomates, réservent pour un post-scriptum l'exposé d'une requête, d'une demande de service important ; c'est fort maladroit, car la majorité des destinataires n'en retiendront que le sans-gêne et la désinvolture... ou le calcul.

En résumé, si le post-scriptum est admissible lorsque l'on écrit à des proches, il est à proscrire absolument dans la correspondance officielle lorsqu'il s'agit d'un oubli important, d'un sujet long à traiter. Il est recommandé de recommencer la lettre.

- Si l'on veut attirer l'attention du destinataire sur des passages que l'on juge importants, on a le loisir de souligner les mots ou les expressions. Mais avec mesure : l'abus du souligné ne peut que « banaliser » ces termes, voire agacer le correspondant.
- Il est parfois nécessaire de joindre des documents (factures, relevés, actes officiels...) à une lettre. Rappelons qu'en France les Postes interdisent l'emploi d'objets susceptibles de détériorer le matériel d'oblitération, tels que les trombones, les épingles, etc. L'expéditeur utilisera donc colle, scotch, agrafes, coins-attaches...
- Éviter de multiplier les abréviations ou les sigles. D'une part, ils traduisent la désinvolture, la rédaction bâclée ; d'autre part, ils ne seraient pas obligatoirement compréhensibles pour votre correspondant.
- En dehors de la correspondance privée ou des rapports, le bon usage veut que l'on écrive les nombres en toutes lettres (exceptions : les millésimes et les nombres qui s'avéreraient trop longs à écrire — donc peu lisibles — en lettres [« *À propos, j'ai gagné deux millions trois cent vingt-quatre mille neuf cent quatre-vingt-dix-huit francs au Loto* »]).
- Si le destinataire réside chez une autre personne, que ce soit provisoirement ou durablement, le savoir-vivre demande que l'on

indique sur l'enveloppe le nom de l'hôte. Non seulement le savoir-vivre, mais aussi le bon sens : le facteur (en France, on doit dire maintenant « préposé ») ou le gardien, le concierge, d'un immeuble ne sauront pas forcément que tels habitants du quartier logent quelqu'un chez eux.

La formule la plus courtoise consiste à écrire :

Monsieur Max Soyer
Aux bons soins de M. et Mme Fouks

suivi de l'adresse.

On admet aussi : « chez M. et Mme Fouks » et « c/o M. et Mme Fouks » (c/o est l'abréviation conventionnelle de l'anglais *care of* : « aux soins de »).

FORMULES DE CIVILITÉ, FORMULES DE POLITESSE

Naguère encore, les manuels de savoir-vivre se montraient intraitables sur le chapitre des formules écrites de politesse. Celles-ci devaient répondre à des règles très strictes. Il reste vrai que ces formules sont toujours d'une très grande importance, car nombre de destinataires demeurent sensibles à la façon dont sont rédigés en-tête et formule finale.

Ces formules de politesse varient selon l'âge, le sexe, la situation sociale du destinataire ; selon la nature des relations entre le scripteur et son correspondant. Quiconque écrit risque de froisser le destinataire en adoptant une formule mal venue qui à elle seule peut détruire l'impression favorable qui ressortait du texte de la lettre.

FORMULES-TYPES

L'EN-TÊTE (à écrire en toutes lettres, sans aucune abréviation)

1) Lettre adressée à une personne que l'on ne connaît pas (ou à un supérieur) :
   — *Monsieur.*
   — *Madame ; Mademoiselle.*

2) Lettre destinée à un correspondant que l'on connaît un peu :
   — *Monsieur ; Cher Monsieur.*
   — *Madame ; Chère Madame ; Mademoiselle ; Chère Mademoiselle.*

3) Lettre envoyée d'homme à homme (à degré égal de relations) :
   — *Cher Monsieur ; Cher Monsieur et ami* [1] *; Monsieur et Cher collègue ; Cher ami ; Cher confrère ; Mon cher ami ; Mon cher confrère ; Cher confrère et ami ;* ainsi que toutes formules semblables à adapter en considération des liens professionnels et/ou amicaux.

4) Lettre adressée d'homme à homme (avec une nuance de supériorité) :
   — *Monsieur ; Cher ami ; Mon cher ami ; Cher Monsieur Paul.*

5) Lettre d'un homme à une femme (même s'il y a égalité de rang social ou de relations, on adopte une nuance respectueuse) :
   — *Madame ; Chère Madame ; Chère Madame et amie ; Chère amie ; Chère Martine ;*

---

1. Dans ce genre d'expressions, on met toujours la majuscule à *Monsieur, Madame* ou *Mademoiselle.* Le terme qui suit — *ami, confrère, collègue...* — s'écrit, au choix, avec ou sans une majuscule initiale.

6) Lettre de femme à femme (les formules sont souvent affectueuses ou familières lorsqu'il s'agit de deux amies) :

— *Madame ; Chère Madame ; Chère Madame et amie ; Chère amie ; Mademoiselle ; Chère Mademoiselle ; Chère Mademoiselle et amie ; Chère Nicole ; Ma chère Rolande...*

7) Lettre d'une femme à un homme :

— *Monsieur ; Cher Monsieur ; Cher Monsieur et ami ; Cher ami ; Mon cher ami ; Cher Lucien ; Mon cher Pierre.*

Encore une fois, répétons-le : toutes ces formules doivent être adoptées en considération de la nature des relations entre les correspondants. Disons, cependant, que de nos jours la souplesse est plus grande dans le choix de la formule.

8) Correspondance entre parents ou intimes :

– *Mon cher frère ; Ma chère tante ; Chère cousine ; Cher beau-frère.* (Les termes de parenté sont précédés ou non de l'adjectif possessif.)

– *Mon cher Bernard ; Cher Gérard.* (Le possessif est facultatif.)

Remarques générales sur l'en-tête

– À l'heure actuelle, aucune autorité n'a tranché en faveur d'une formulation au féminin du nom de certaines dignités ou professions. « Madame la Préfète », « Madame l'Ambassadrice », désignent toujours, respectivement, l'épouse du préfet et la femme d'un ambassadeur.

Si l'on ne veut pas prendre le risque de devancer une évolution du langage, s'exposant ainsi aux reproches des puristes, il faut continuer à dire et à écrire : *Madame le Ministre, Madame le Député, Madame le Préfet, Madame l'Ambassadeur, Madame le Juge, Madame le Commissaire, Madame le Maire, Madame le Docteur...*

– *On n'écrit jamais « Mon cher Monsieur » ou « Ma chère (Ma)dame », qui sont des expressions pléonastiques (mon-sieur =* « mon [mon]sieur » ; *ma-dame* = « ma [ma]dame »). De plus, cette reprise du possessif confère une notion de supériorité, de condescendance, ou de familiarité entachée de vulgarité, qui condamne cette formulation.

– Le patronyme du destinataire ne figure généralement pas dans l'en-tête. Il existe toutefois des exceptions :

• Lorsqu'on écrit à une personne que, dans la conversation courante, on appelle « Madame X... », « Monsieur Z... ». Toutes les personnes d'un certain âge n'acceptent pas que des individus plus jeunes les interpellent par leur prénom même s'il existe depuis longtemps entre eux des relations amicales. Aussi choisit-on comme en-tête : *Cher Monsieur Painchinax ; Chère Madame Fogé.*

• Si l'on s'adresse à un camarade de régiment, à un ami d'enfance, à un collègue... Dans ce cas, on écrira : *Mon cher Dupont ; Cher Boudu.*

– Lorsqu'on ignore l'identité de la personne qui lira le courrier (lettre à une administration, à une société...), l'usage veut que l'on indique : *Cher Monsieur.*

– Lorsqu'un fournisseur écrit à un client, et réciproquement, c'est le plus souvent les formules neutres *Monsieur, Madame* ou *Mademoiselle* qui seront utilisées dans la correspondance commerciale.

– Enfin, quoique étant absolument opposé, personnellement, aux multiples formules dites « de politesse » imposées par des notions surannées de ce que l'on appelle le savoir-vivre — et qui ne sont en fait, bien souvent, que des règles prescrites par les classes les plus favorisées afin de perpétuer les distances sociales, nous mentionnerons ci-après les formules de civilité consacrées par ledit savoir-vivre lorsqu'on s'adresse à un militaire, à un ecclésiastique, à un magistrat, à un membre de certaines professions libérales, à un haut fonctionnaire...

En vérité, un savoir-vivre véritable consisterait en l'égalité de formulation entre civil et militaire, entre ouvrier et noble, entre religieux et parlementaire, etc., et à se résumer aux *Monsieur, Cher Monsieur, Madame, Chère Madame...* En un mot, à ne jamais marquer de supériorité envers son correspondant ou d'humilité injustifiée à l'égard d'un autre.

LA FORMULE FINALE

Principes généraux

On marque plus de déférence envers le destinataire en utilisant le verbe *agréer* (ou, le plus souvent, l'expression *Veuillez agréer*) à la place de *recevoir,* et en substituant *expression* à *assurance.*

Voici, par ordre croissant de déférence, quelques formules finales :
- *Cordialement.*
- *Bien amicalement.*
- *Amicalement.*
- *Recevez...*
- *Croyez à...*
- *Agréez...*
- *Je vous prie d'agréer...*
- *Je vous prie de croire à...*
- *Veuillez croire à...*
- *Veuillez agréer...*
- *Daignez agréer...*

REMARQUE : en principe, on considère que ces impératifs — qui sont pourtant en quelque sorte des ordres — sont plus respectueux et plus déférents que le très courtois « je vous prie ».

Toujours dans un ordre de subordination croissant, citons maintenant quelques terminaisons de formules finales :
... *cordialement vôtre.*
... *mon amical souvenir.*
... *toute notre amitié.*
... *mes sentiments amicaux.*
... *mes sincères salutations.*
... *mes meilleurs sentiments.*
... *mes sentiments distingués.*
... *mes sentiments respectueux.*
... *mes sentiments dévoués.*
... *ma respectueuse sympathie.*
... *ma considération distinguée.*
... *ma parfaite considération.*
... *mon respectueux dévouement.*
... *mon profond respect.*
... *ma haute considération.*

On doit toujours répéter dans la formule finale les termes qui ont été employés dans l'en-tête :

À *Monsieur et cher ami* doit répondre une formule finale du type : « Veuillez accepter, *Monsieur et cher ami*, l'expression de mes sentiments lcs plus amicaux. »

Si l'on connaît l'épouse ou le mari de la personne à laquelle on écrit, l'usage veut de le mentionner dans la formule finale.

Formules-types

1) Lettre à des proches (parents, amis intimes, amis — avec parfois une nuance plus respectueuse à l'égard d'une femme) :

À toi ; Bien à toi ; Amicalement ; Cordialement ; Bien amicalement ; Cordialement vôtre ; Avec toute mon amitié ; Reçois, cher Jacques, mon amical souvenir ; Cordiales pensées ; Mon affectueux souvenir ; Bien affectueusement vôtre ; Croyez, cher ami, à mon souvenir le meilleur ; Je vous serre cordialement la main ; Recevez, chère Christine, l'expression de ma respectueuse amitié.

2) Lettre à une personne connue du scripteur, homme ou femme (relation de travail, personne de connaissance ; formule à adapter d'après l'âge, le sexe ou la situation sociale) :

Croyez, cher Monsieur, à l'expression de mes sentiments les meilleurs ; Croyez, chère Madame, à ma respectueuse amitié ; Recevez, chère Madame, l'expression de mes sentiments les plus respectueux ; Veuillez recevoir, Monsieur, l'assurance de mes meilleurs sentiments ; Croyez bien, chère Madame, à tous mes meilleurs sentiments ; Veuillez croire, Madame, à l'assurance de mes sentiments distingués ; Recevez, Monsieur, mes sincères salutations ; Je vous prie de croire, chère Madame, à l'assurance de mes meilleurs sentiments.

3) Lettrc à quelqu'un que le scripteur ne connaît pas, ou bien à une personne connue envers laquelle on doit marquer de la déférence :

Veuillez recevoir, Monsieur, l'assurance de ma considération distinguée ; Veuillez croire, Madame, à mon sincère dévouement ; Veuillez agréer, Madame, l'assurance de ma respectueuse considération ; Veuillez agréer, Madame, avec mes hommages, l'expression de mes sentiments les plus respectueux ; Veuillez croire, Monsieur, à l'assurance de mes sentiments dévoués ; Je vous prie d'agréer, Monsieur, l'expression de mon profond respect ; Je vous prie d'accepter, Monsieur, l'assurance de ma parfaite considération ; Soyez assuré, Monsieur, de mon respectueux dévouement ; Daignez agréer, Monsieur, l'expression de ma plus haute considération ; Veuillez croire, Monsieur, à l'assurance de ma considération distinguée, et daignez présenter à Madame votre épouse l'expression de mes sentiments les plus respectueux.

Les formules finales sont très variées, et nous ne pouvons les citer toutes. Le bon sens et le tact conseilleront chacun dans le choix de la formulation à adopter en fonction de la teneur de la lettre et du niveau des relations entre les correspondants.

L'expression « sentiments distingués » est condamnée par certains puristes du savoir-vivre, mais elle semble bien avoir été ratifiée par l'usage contemporain, même si cela est au prix d'une acception étendue du verbe *distinguer.*

On conseille également de rejeter le tour « Veuiller agréer l'assurance de mes salutations amicales », car le mot *salutations* exprime un acte et non un état d'esprit.

Lorsqu'une lettre d'affaires, commerciale, est adressée par un homme à une femme, ou réciproquement, le mot *sentiment(s)* doit être banni de la formule finale — même si ces deux personnes ont par ailleurs des relations amicales ou familiales.

Formules particulières, *à utiliser lorsque l'on s'adresse à des personnages officiels, titrés, à des membres du clergé ou de professions libérales, à des militaires, à des membres du corps enseignant... (Nous mentionnerons successivement l'en-tête et la formule finale.)*

• PERSONNALITÉS CIVILES, HAUTS FONCTIONNAIRES

PRÉSIDENT DE LA RÉPUBLIQUE : *Monsieur le Président ; Daignez agréer, Monsieur le Président, l'expression de ma parfaite considération / Veuillez agréer, Monsieur le Président, l'hommage de mon profond respect.*

PRÉSIDENT DU CONSEIL OU PREMIER MINISTRE : *Monsieur le Président / Monsieur le Premier Ministre ; Veuillez agréer, Monsieur le Président, l'expression de mon profond respect / Je vous prie d'agréer, Monsieur le Premier Ministre, l'expression de ma très haute considération.*

MINISTRE : *Monsieur* (ou *Madame*) *le Ministre ; Veuillez agréer, Monsieur* (ou *Madame*) *le Ministre, l'expression de ma très haute considération.*

SECRÉTAIRE D'ÉTAT : *Monsieur* (ou *Madame*) *le Ministre ; Je vous prie d'agréer, Monsieur* (ou *Madame*) *le Ministre, l'expression de ma très haute considération (de ma haute considération).*

MINISTRE DE LA JUSTICE : *Monsieur* (ou *Madame*) *le Ministre / Monsieur* (ou *Madame*) *le garde des Sceaux ; Veuillez agréer, Monsieur* (ou *Madame*) *le Ministre, l'expression de ma très haute considération.*

SÉNATEUR / DÉPUTÉ / PRÉFET / SOUS-PRÉFET / AMBASSADEUR : *Monsieur* (ou *Madame*) *le Sénateur (Député / Préfet / Sous-Préfet / Ambassadeur) ; Veuillez agréer, Monsieur* (ou *Madame*) *le Sénateur* (ou *Député...*) *l'assurance de ma haute considération / de ma respectueuse considération / de mes sentiments les plus distingués.*

REMARQUE : Toute personne qui a été ministre sera toujours appelée *Monsieur* (ou *Madame*) *le Ministre.* Les députés ou sénateurs qui auront été respectivement président de l'Assemblée nationale, président du Sénat ou président du conseiil devront toujours être nommés *Monsieur le Président.*

• MILITAIRES

REMARQUES PRÉLIMINAIRES :

1) Le maréchalat est une dignité, et non un grade. L'épouse d'un maréchal sera donc appelée *Madame la Maréchale* (ex. *la maréchale Leclerc*). En revanche, on ne doit pas dire « Madame la Colonelle, Madame la Commandante », mais *Madame,* tout simplement. Le dignitaire sera appelé *Monsieur le Maréchal* (et surtout pas « Mon Maréchal » !).

2) Au-dessous du grade de commandant, en principe on ne mentionne plus le grade, mais on dit : Monsieur.

3) Les hommes qui appartiennent à l'armée, ou qui furent militaires, écrivent : *Mon Commandant, Mon Colonel, Mon Général.* Mais on peut aussi s'en tenir à *Commandant, Général* — formules à observer si c'est une femme qui écrit.

4) On ne dit pas « Mon Amiral », mais : *Amiral.*

5) Les capitaines de vaisseau, de frégate, de corvette sont appelés *Commandant.*

6) Jusqu'à lieutenant de vaisseau, la formule correcte est tout simplement *Monsieur.*

AMIRAL : *Amiral ; Veuillez agréer, Amiral, l'expression de mon profond respect (Je vous prie de croire, Amiral, à l'expression de mon respect).*

CAPITAINE DE VAISSEAU (DE CORVETTE, DE FRÉGATE) : *Commandant ; Veuillez agréer, Commandant, l'expression de mes sentiments très respectueux / de mes sentiments respectueux.*

ASPIRANT : *Monsieur ; Veuillez agréer, Monsieur, l'expression de mes sentiments distingués / l'assurance de mes meilleurs sentiments.*

GÉNÉRAL : *Mon Général / Général ; Veuillez agréer, Mon Général (Général), l'expression de mon respect / Je vous prie de croire, Général, à l'expression de mon profond respect.*

COMMANDANT / LIEUTENANT-COLONEL / COLONEL : *Mon Commandant (Commandant) / Mon Colonel (Colonel) ; Veuillez agréer, Mon Commandant (Commandant)* [ou : *Mon Colonel*], *l'expression de mes sentiments respectueux / de mes sentiments distingués.*

FEMME D'OFICIER SUPÉRIEUR : *Madame ; Veuillez agréer, Madame, l'expression de mes respectueux hommages (l'expression de mes sentiments respectueux) / Veuillez agréer, Madame, mes très respectueux hommages.*

• ECCLÉSIASTIQUES

Un croyant pourra intégrer dans la formule finale l'expression *religieux respect : Je vous prie d'agréer, Monsieur le Curé, l'expression de mon religieux respect.*

CURÉ : *Monsieur le Curé ; Veuillez agréer, Monsieur le Curé, l'expression de mes sentiments respectueux et dévoués / de mes sentiments respectueux.*

PRÊTRE / CHANOINE / AUMÔNIER / RELIGIEUX : respectivement *Monsieur l'Abbé / Monsieur le Chanoine / Monsieur l'Aumônier / Mon [Révérend] Père ; Je vous prie d'accepter, Monsieur l'Abbé* (ou *Monsieur le Chanoine...*), *l'expression de mes sentiments respectueux.*

RELIGIEUX : *Ma Sœur* (ou *Ma Mère,* en fonction de l'ordre ; une supérieure de couvent sera appelée *Ma Révérende Mère*) *; Veuillez agréer, Ma Sœur* (ou *Ma Mère*), *l'expression de mes sentiments respectueux.*

EVÊQUE / ARCHEVÊQUE : *Monseigneur ; Je vous prie d'agréer, Monseigneur, l'expression de ma très respectueuse considération / Veuillez agréer, Monseigneur, l'hommage de mes sentiments très respectueux.*

CARDINAL : *Éminence ; Que votre Éminence daigne agréer l'hommage de mon très profond respect / de mes sentiments respectueux.*

PAPE : *Très Saint Père ; Que Votre Sainteté daigne accepter l'hommage de son très humble et très obéissant fils (de sa très humble et obéissante fille).* [Un incroyant s'en tiendra à : *Que Votre Sainteté daigne accepter l'assurance de mon profond respect / Veuillez accepter l'expression de mes sentiments les plus respectueux / de ma plus respectueuse considération.*]

REMARQUES : Si l'on connaît personnellement ce membre de l'Église, on peut opter pour une formulation moins cérémonieuse : *Mon Père, Père, Révérend Père.*

Un pasteur sera nommé *Monsieur le Pasteur ;* un rabbin, *Monsieur le Rabbin.*

• ENSEIGNANTS

INSTITUTEUR/PROFESSEUR : *Monsieur ; Veuillez agréer, Monsieur, l'expression de mes sentiments distingués.*

DIRECTEUR D'ÉTABLISSEMENT SCOLAIRE / PROVISEUR / INSPECTEUR D'ACADÉMIE / DOYEN D'UNIVERSITÉ / RECTEUR : respectivement, *Monsieur le Directeur / Monsieur le Proviseur / Monsieur l'Inspecteur [d'Académie] / Monsieur le Doyen / Monsieur le Recteur ; Veuillez agréer, Monsieur le Directeur* (ou *Monsieur le Proviseur...*). *l'expression de mes sentiments respectueux / l'expression de mes sentiments distingués / Recevez* (...) *l'assurance de ma parfaite considération.*

- NOTAIRES/AVOCATS/HUISSIERS

Maître ; Veuillez agréer, Maître, l'expression de mes sentiments distingués / l'assurance de ma parfaite considération.

- MAGISTRATS

PRÉSIDENT DE COUR D'ASSISES, DE COUR D'APPEL, DE TRIBUNAL D'INSTANCE : *Monsieur le Président de la cour d'assises [*ou *d'appel...] ; Veuillez agréer, Monsieur le Président de la cour d'assises, l'expression de ma parfaite considération / l'assurance de ma très haute considération / l'expression de mes sentiments respectueux.*

PROCUREUR DE LA RÉPUBLIQUE : *Monsieur le Procureur de la République ; Veuillez agréer, Monsieur le Procureur de la République, l'expression de mes sentiments respectueux / de ma parfaite considération.*

- SOUVERAINS (régnants ou déposés)

ROI : *Sire ; Avec le plus profond respect je suis, Sire, le dévoué serviteur de Votre Majesté / le très respectueux et très dévoué serviteur de Votre Majesté.*

REINE : même formulation, mais *Madame* remplacera *Sire.*

PRINCE RÉGNANT : même tournure, mais *Sire* et *Votre Majesté* seront respectivement remplacés par *Monseigneur* et par *Votre Altesse Royale.*

• NOBLES

On écrit, en principe, *Monsieur* à un baron, à un comte ou à un marquis, car seuls doivent figurer les titres de duc et de prince (non souverain). Encore une fois, il s'agit là des règles d'un « savoir-vivre » bien discutable. La politesse n'exige nullement de dire *Monsieur le Duc,* car il est parfaitement correct de s'en tenir, en toute occasion, à *Monsieur.* En revanche, si un scripteur veut écrire *Monsieur le Baron* à son correspondant, il en a parfaitement le droit.

Si l'on veut suivre les règles des guides du savoir-vivre, on adoptera les formules traditionnelles : *Monsieur le Duc (Madame la Duchesse,* ou *Madame) ; Je vous prie d'agréer, Monsieur le Duc (Madame la Duchesse* ou *Madame), l'expression de ma parfaite considération / de ma respectueuse considération / de mes sentiments respectueux / l'assurance de ma considération distinguée.*

On ne dit pas : *Mon Prince* [!], ni même « Monsieur le Prince », mais : *Prince.* En revanche, *Madame la Princesse* est tout autant usité que *Princesse* ou *Madame.*

• MÉDECINS/CHIRURGIENS

On écrit le plus souvent *Monsieur* (*Docteur* est du style familier). Un professeur de faculté sera nommé *Monsieur* ou *Monsieur le Professeur.*

Les formules susmentionnées ne sont que quelques-unes des nombreuses tournures entérinées par l'usage contemporain. Chacun devra choisir celle qui semble le plus adaptée au ton de la lettre et à la personnalité du destinataire. Il est surtout *impératif* d'éviter la désinvolture ou une familiarité déplacée, ou bien des formules trop alambiquées ou serviles.

QUELQUES FORMULES DE LETTRES

Les lettres qui suivent sont données à titre d'exemples concrets de ce qu'on peut être amené à écrire dans la vie quotidienne, soit pour satisfaire aux règles du savoir-vivre, soit parce que cela fait partie de notre vie professionnelle, ou bien encore parce que telle ou telle circonstance de notre vie de citoyen, de locataire, de propriétaire, d'électeur, d'assuré, de retraité... exige de nous une intervention par écrit.

Afin de présenter un maximum d'exemples dans le cadre restreint de ce chapitre, nous avons volontairement choisi d'être concis, tout en évitant la sécheresse ou le laconisme.

• Les lettres de bienséance, dites aussi « mondaines », sont suscitées par les relations sociales, amicales ou familiales : remerciements, félicitations, condoléances, vœux, etc. Le texte sera souvent bref, mais on veillera particulièrement aux marques de politesse et de courtoisie. Si l'on ne peut y éviter les formules traditionnelles, une touche personnelle scra la bienvenue : le scripteur ne s'en tiendra pas uniquement à ses félicitations, à la présentation de ses vœux..., toutes formules stéréotypées qui n'expriment pas toujours des sentiments bien profonds.

Dans la plupart de ces circonstances, la lettre peut être remplacée par la carte de visite (dont nous parlerons plus loin).

• Les lettres amicales seront d'un style très simple, détendu. Le scripteur doit s'effacer et s'intéresser à ce qui concerne ou intéresse son correspondant. C'est seulement ensuite que le signataire parlera de lui et de son entourage.

• Les lettres d'affaires exigent de la précision, de l'ordre, de la méthode, de la concision. On entend par « lettre d'affaires » non seulement la correspondance commerciale, mais aussi tout le courrier dû à des démarches administratives, à des demandes de renseignements ou de conseils, à la présentation de rapports, à des sollicitations, à des procès ; aux relations avec des administrations, avec des artisans, avec le corps enseignant... Bref, toutes les lettres qu'un individu a l'occasion d'écrire dans la vie de tous les jours.

Le scripteur ne sera pas avare d'alinéas et d'interlignes afin que le plan de sa lettre ressorte bien. Son propos y gagnera en efficacité. Si la lettre est consacrée à un seul sujet, on ne s'en écartera pas par des digressions superflues ou du verbiage. Lorsque l'envoyeur doit aborder plusieurs sujets, il traitera complètement l'un d'eux — le plus important, si une des affaires domine les autres — avant de passer à un autre.

Les lettres d'affaires seront le plus souvent dactylographiées.

LETTRES DE BIENSÉANCE

Félicitations d'un(e) ami(e) aux parents à l'occasion d'une naissance :

CHERS AMIS
[ou : Chère Nicole, Cher Jacques],

Tous mes vœux de bienvenue à la petite Catherine et mes plus chaleureuses félicitations à ses parents. Je me réjouis avec vous de tout cœur de cet heureux événement.

Je vous embrasse tous deux bien amicalement.

Félicitations d'amis exprimées par carte de visite :

Martine BAUDU
souhaite une vie de bonheur à la
petite Joëlle et envoie ses plus
amicales félicitations à ses parents.

M. et Mme Pierre ÉBÉ
prient M. et Mme MORE
d'accepter leurs très vives félicitations
pour la naissance du petit Colin

M. et Mme FÉRET
se réjouissent de l'heureuse naissance
d'Isabelle
et présentent toutes leurs félicitations
à M. et Mme BAUDOIN.

Faire-part de naissance (sous forme de carte de visite ou de faire-part) :

Paul et Armelle DU CHÂTEL

sont heureux [ont la joie, ont le bonheur] de vous faire part de la naissance de leur fille Sandrine.

12, rue du Marché
92120 MONTROUGE 10 mars 1980.

M. et Mme Jean-Paul DURAND

sont heureux de vous faire part de la naissance de Brigitte et de Colette.

83, rue du Vieux-Port
22520 BINIC 23 avril 1980.

Ces faire-part doivent être envoyés assez rapidement, environ une semaine après la naissance. Leur texte peut être repris pour une insertion dans les journaux. Dans ce cas, on adopte souvent la tournure : *Monsieur Paul DU CHÂTEL, et Madame, née Armelle BRILLARD, sont...*

Annonce de fiançailles (à l'intention des parents et amis ; généralement, sur carte de visite) :

M. et Mme Richard TROIS
sont heureux de vous faire part
des fiançailles de leur fille Madeleine
avec Monsieur Valentin Tirmont.

M. et Mme Albert TIRMONT
ont le plaisir de vous annoncer
les fiançailles de leur fils Valentin
avec Mademoiselle Madeleine Trois.

21 mai 1979

– Ce texte peut être repris tel quel pour une insertion dans les journaux.

Bien souvent, cette annonce est faite par les parents respectifs, mais rien n'interdit aux deux fiancés de présenter eux-mêmes l'événement : *Madeleine Trois et Valentin Tirmont sont heureux...*

Faire-part de mariage :

Nombreuses formules possibles à adapter selon la nature du mariage (religieux, civil, remariage, mariage célébré dans l'intimité). Le faire-part consiste généralement en un carton à double feuillet.

M. et Mme Robert Lediable,
M. et Mme Pierre Lediable,
ont l'honneur de faire part du mariage de Jacques Lediable, leur petit-fils et fils, avec Mademoiselle Pauline Aziri.

M. et Mme Henri Aziri,
ont l'honneur de vous faire part du mariage de leur fille Pauline avec Monsieur Jacques Lediable.

La bénédiction nuptiale leur sera donnée le mardi !5 juin, à 11 heures, en l'église Notre-Dame de Saint-Brieuc.

24, rue de la Halle
22000 SAINT-BRIEUC

42, route de Saint-Laurent
22000 SAINT-BRIEUC

REMARQUES : Sur une carte à double feuillet, le texte de la famille du marié figurera à gauche, en page 2 ; celui de la famille de la future mariée à droite. (Le savoir-vivre précise que l'on doit procéder ainsi lorsqu'il s'agit des faire-part destinés aux parents et amis du marié. En revanche, c'est le texte de la famille de la fiancée qui sera à gauche lorsque les faire-part seront envoyés par cette famille à ses amis et connaissances.)

On évite d'écrire les mots *veuve* ou *veuf* dans un tel faire-part.

Généralement, ce sont les grands-parents et les parents (dans l'ordre) qui font part de l'événement. Là encore, rien n'empêche les futurs mariés d'annoncer eux-mêmes la cérémonie :

Monsieur Georges HUGUET et Mademoiselle Jeanne HUET sont heureux de vous faire part de leur mariage, qui sera célébré le jeudi 22 mai 1980 à 15 heures en l'église Sainte-Cécile, à Neuilly.

24, rue Jean-Jaurès
92200 NEUILLY

23, rue des Berges
92210 SAINT-CLOUD

Ou :

Marc Zobri et Henriette Lachewitz
sont heureux de vous faire part de leur mariage,
qui sera célébré dans la plus stricte intimité

. . . .

L'insertion du texte dans la presse se fera une quinzaine de jours avant la cérémonie, ou peu de temps après si le mariage a eu lieu dans l'intimité.

Félicitations pour un mariage :

– Adressées aux parents

Pierre et Marie AUMONT

adressent toutes leurs félicitations à Monsieur et Madame Rouget à l'occasion du mariage de leur fille Nicole avec Jacques Majeur, et tous leurs vœux de bonheur aux jeunes époux.

– Adressées aux mariés

Jean-Jacques DUPORT

Avec ses félicitations et tous
ses vœux de bonheur.

Ces félicitations seront souvent présentées par carte de visite. Des parents ou amis peuvent choisir un texte plus long sur lettre.

Faire-part de décès :

Monsieur Max Dubois,
Monsieur Jacques Dubois et Madame,
Monsieur Philippe Dubois,
Les familles Paulet et Dubon,

Ont la douleur de vous faire part de la mort de

Madame Sophie Dubois

leur épouse, mère, belle-mère et cousine, décédée le 8 mars 1980, à Paris (14e), à l'âge de soixante-quinze ans.

Les obsèques auront lieu à l'église Sainte-Marie de Saint-Maur le samedi 11 mars, à 11 heures.

24, rue du Maine
75014 PARIS

Les croyants pourront y mentionner une formule ou une citation biblique. Préciser s'il y a cérémonie religieuse ou uniquement obsèques civiles, si la cérémonie aura lieu dans l'intimité, et, le cas échéant, si l'on refuse les fleurs et couronnes.

Condoléances (la présence à la cérémonie d'obsèques n'exclut pas l'envoi préalable de condoléances par lettre ou par carte de visite, que l'on adresse au plus proche parent de la personne décédée) :

M. et Mme Lucien PAREAU
prient Madame Dumas de bien vouloir agréer, avec leurs respectueux hommages, leurs bien vives et bien sincères condoléances.

Jacqueline MOLINA
prie Monsieur Delarge de bien vouloir agréer l'expression de sa douloureuse sympathie à l'occasion du deuil cruel qui le frappe.

Invitation à déjeuner ou à dîner (entre parents et amis proches, de nos jours, se fait par téléphone) :

Chère Madame, Cher Monsieur,

Accepteriez-vous de nous faire le plaisir de venir dîner à la maison jeudi 10 juillet, à 20 heures ? Nous recevons quelques parents et amis, parmi lesquels nos cousins Mertens, que vous connaissez.

En espérant vivement que vous pourrez être des nôtres ce jour-là, nous vous prions d'agréer, Madame, Monsieur, l'assurance de nos sentiments distingués.

Invitation par carte de visite :

M. et Mme Jean MÉNARD

prient Monsieur et Madame Paul Arnault de leur faire le plaisir de venir dîner chez eux en toute simplicité le mardi 20 juin, à 19 heures.

Remerciements après une invitation que l'on avait acceptée :

M. et Mme AUBERT

prient Monsieur et Madame Nicollet d'accepter tous leurs remerciements pour l'excellente soirée du 10 juillet à laquelle ils ont eu le plaisir d'être conviés.

Réponse négative à une invitation :

M. et Mme Didier HAMEL

vous remercient de votre aimable invitation, mais ils sont navrés de ne pouvoir y répondre, étant retenus par des engagements antérieurs. Avec leurs vifs regrets, ils vous prient de croire à l'expression de leurs sentiments les meilleurs.

LETTRES D'AFFAIRE, DÉMARCHES...

- **À des enseignants**

Pour excuser l'absence d'un écolier :

M. Paul FAVRE
20, rue du Bois
75016 PARIS

Monsieur le Directeur,

Je vous prie de bien vouloir excuser mon fils, Jacques, classe de 8e, pour son absence de deux jours, avant-hier et hier. Jacques est revenu à la maison avec un petit début de grippe, et nous avons dû lui faire garder la chambre.

Veuillez croire, Monsieur le Directeur, à l'expression de mes sentiments distingués.

Pour excuser le retard d'un élève

Madame J. Lemoine
44, rue des Martyrs
91120 Palaiseau

Monsieur,

Je vous prie de bien vouloir excuser le retard de ma fille Claudine ce matin. Nous avons veillé très tard à l'occasion des fiançailles de sa sœur aînée Martine. Aussi sommes-nous les premiers responsables de ce retard.

En vous présentant nos excuses, je vous prie de croire, Monsieur, à l'assurance de mes sentiments distingués.

Pour s'inquiéter du travail de l'élève :

Monsieur,

Le dernier bulletin de mon fils m'inquiète beaucoup. Je sais que Philippe n'est pas très appliqué et je suis très soucieuse à la vue de ses résultats scolaires.

Je souhaiterais bien vivement pouvoir m'en entretenir avec vous : auriez-vous l'obligeance de me fixer un rendez-vous ?

En vous remerciant à l'avance, je vous prie d'agréer, Monsieur, l'expression de mes sentiments distingués.

Mme Marie Carré.

Pour demander l'octroi d'une bourse (à adresser au directeur ou au secrétariat de l'établissement) :

M. et Mme Albin MARCELLIN
20, rue Pasteur
75001 PARIS

Paris, le 24 avril 1978.

Monsieur,

Auriez-vous l'obligeance de m'adresser le formulaire à remplir afin de solliciter une bourse pour mes enfants Jacques, Paul et Marcel, respectivement élèves de 6eC, de 8eA et de 10eB dans votre établissement ?

Veuillez agréer, Monsieur, avec mes remerciements, l'assurance de nos sentiments distingués.

Pour demander à être inscrit aux épreuves du baccalauréat en France (demande émanant d'une personne non inscrite à un établissement d'enseignement, car, sinon, c'est l'établissement qui se charge des démarches et de faire suivre les formulaires).

Monsieur le Recteur
[ou : Monsieur le Doyen],

Désirant me présenter aux prochaines épreuves du baccalauréat, je vous prie de me faire parvenir les formulaires à remplir et de m'indiquer quelles sont les pièces nécessaires à mon inscription.

Je désire me présenter à Paris (je réside dans le 10e arrondissement).

Veuillez agréer, Monsieur le Recteur [ou : Monsieur le Doyen], l'expression de mes sentiments respectueux.

Jacques LEBRAS.

N.B. — En France : à Paris, on s'adresse à l'Office du baccalauréat. En province, au recteur de l'académie ou au doyen de la faculté de la ville où est installée la faculté pour la région habitée par le demandeur.

- **À des militaires**

Lettre de l'épouse (*ou des parents*) *pour annoncer la maladie d'un soldat appelé alors en permission* (à adresser à l'officier commandant le régiment ou l'unité, mais non à un caporal chef de section !) :

Colonel,

Mon mari [ou : notre fils], le deuxième classe Bideau Arthur, de la 6e compagnie du 5e R.I., qui était en permission de quarante-huit heures, se trouve alité depuis hier avec une angine. Le médecin, qui a établi le certificat que vous trouverez ci-joint, pense qu'il ne pourra pas rejoindre le régiment avant une quinzaine de jours.

Veuillez agréer, Colonel, l'expression de mes sentiments respectueux.

Angèle BIDEAU.

Lettre d'un appelé demandant l'autorisation de se marier (en France, à adresser à l'officier commandant le régiment) :

Mon Colonel,

J'ai l'honneur de vous demander de bien vouloir m'accorder l'autorisation de contracter mariage avec Mademoiselle Angèle Nicole Barrot, domiciliée à Sèvres (Hauts-de-Seine), 24, rue de la Gare.

Ma fiancée est de nationalité française, est née le 24 janvier 1960 et est employée de banque.

Je vous prie de trouver ci-joints un extrait de l'acte de naissance et un extrait du casier judiciaire de ma fiancée.

Veuillez agréer, Mon Colonel, l'expression de mes sentiments respectueux.

N.B. — Si la future mariée est de nationalité étrangère, à l'acte de naissance et à l'extrait de casier judiciaire elle devra joindre une déclaration manuscrite datée et signée par laquelle la jeune femme déclare « renoncer expressément à la faculté qui m'est offerte, par l'article 38 de l'ordonnance du 19 octobre 1945, de décliner la qualité de Française ».

• À l'administration

Demande de délai pour le paiement d'impôts (à adresser au percepteur, et non à l'inspecteur des impôts — du moins en France)

Monsieur, [ou : Monsieur le Percepteur/ Monsieur le Receveur,]

Il me sera malheureusement impossible de payer en temps voulu le solde de mes impôts directs 1980, dont le montant s'élève à 4 640 F.

Ce retard, bien involontaire, est dû à de graves difficultés personnelles [*à détailler, mais sans trop développer ces difficultés*].

Je sollicite donc de votre bienveillance un délai de paiement. Je vous propose de m'acquitter de cette somme par un versement immédiat de 2 000 F, le solde en deux versements de 1 320 F par mois.

Dans l'attente de votre réponse, et en espérant qu'elle sera positive, je vous prie d'accepter, Monsieur, l'expression de mes sentiments respectueux.

L'état civil

Pour recevoir son extrait d'acte de naissance (en France métropolitaine, requête à adresser à la mairie où fut dressé l'acte) :

Monsieur,

Je vous serais reconnaissante de bien vouloir m'adresser un extrait d'acte de naissance au nom de Monique Andrée LE GALLO, née le 10 janvier 1955 à Bernay, 24, rue du Marché, fille de Jacques LE GALLO et d'Antoinette BOUJU, son épouse.

J'ai besoin de cet extrait, qui m'est demandé par la mairie de Lisieux en vue de mon prochain mariage.

Vous trouverez ci-jointe une enveloppe timbrée à mes nom et adresse.

Veuillez agréer, Monsieur, avec mes remerciements, l'assurance de mes sentiments distingués.

– Même présentation de la requête quand il s'agit de demander un extrait d'acte de mariage.

Pour recevoir une copie d'acte de décès (demande à envoyer à la mairie où l'acte a été dressé) :

Monsieur,

Je vous serais obligé de m'adresser une copie d'acte de décès de mon père, Charles COLLAS, décédé le 20 mars 1972, à Argentan.

Ci-joint : une enveloppe timbrée portant mes nom et adresse.

Je vous prie d'agréer, Monsieur, l'assurance de mes sentiments distingués.

Pour demander un certificat d'urbanisme (demande à adresser au maire de la commune, ou au préfet, ou bien au directeur départemental de la construction) :

Monsieur le Maire,

Je vous prie de bien vouloir me faire connaître les dispositions et prescriptions du plan d'urbanisme de la commune de Moncontour qui ont trait au terrain sis au lieu-dit des « Trois Croix » (n° 24 du cadastre).

La présente demande est effectuée à mon profit [ou : au compte de M. et Mme LAJOINIE, demeurant 24, rue du Parchamp, à Paris (6e)] en vue d'une acquisition [ou : construction] éventuelle.

Veuillez agréer, Monsieur le Maire, l'expression de mes sentiments distingués.

À Moncontour, le 6 mai 1980.

André LARDEUX.

Lettre à des compagnies d'assurances

Pour demander à une compagnie d'assurances une modification du contrat (à envoyer en pli recommandé) :

Monsieur,

Par la police n° 4 520 312 du 25 mai 1976 j'ai assuré l'ensemble de mon mobilier auprès de votre compagnie pour une somme de 50 000 F.

Depuis cette date, j'ai notablement enrichi ce mobilier et, en conséquence, je voudrais modifier le montant de cette police.

Je souhaiterais donc que nous convenions d'un rendez-vous afin d'évaluer le montant du réajustement nécessaire. Pouvez-vous me téléphoner pour que nous fixions une date ?

Veuillez agréer, Monsieur, l'assurance de mes sentiments distingués.

Paul DIJON.

Pour déclarer un sinistre (à adresser en pli recommandé dans les PLUS BREFS DÉLAIS ; lire attentivement à ce sujet les conditions générales du contrat et les passages imprimés en petits caractères ; garder un double) :

M. et Mme Jean CLANCHÉ
24, chemin du Vieux-Potager
35000 RENNES

Rennes, le 6 avril 1980.

Monsieur le Directeur,

Par une police incendie n° 2 362 469 en date du 23 juin 1977 j'ai fait assurer mon appartement et le mobilier qu'il contient auprès de votre compagnie pour une somme de 50 000 F.

À la suite d'une imprudence de mon fils, une partie de cet appartement et de son mobilier ont été gravement endommagés par incendie. Pouvez-vous m'envoyer un de vos experts le plus tôt possible, afin de constater l'étendue du sinistre et chiffrer le montant des dommages subis ?

Avec mes remerciements, je vous prie d'agréer, Monsieur le Directeur, l'assurance de mes sentiments distingués.

Jean CLANCHÉ.

Lettres juridiques

Pour demander un extrait de casier judiciaire (à adresser au greffier du tribunal de grande instance dont dépend votre lieu de naissance) :

Monsieur le Greffier,

Je vous prie de bien vouloir me faire délivrer un extrait du casier judiciaire au nom de Philippe LARVE [ou de Monique LARVE, née SIMONNET], né le 16 octobre 1940 à Moutonneau (Charente). Je réside actuellement à 92380 Garches, 24, rue de l'Amiral-Bruix.

Avec mes remerciements, je vous prie d'agréer, Monsieur le Greffier, l'assurance de mes sentiments distingués.

Philippe LARVE.

Plainte auprès du doyen des juges d'instruction (en France, une telle plainte peut aussi être déposée entre les mains du procureur de la République ; dans ce dernier cas, le dépôt de ladite plainte est gratuit) :

Nantes, le 6 mai 1980.

Monsieur le Doyen des Juges d'instruction,

Je soussigné DUBOIS Gilles demeurant 31, rue Caligula, 44000 Nantes, exerçant la profession de chauffeur de taxi, ayant Me Gruss pour avocat.

Ai l'honneur de porter plainte entre vos mains contre X... [ou : contre M. ALCIDE] en raison des faits suivants : . . . .

. . . .

C'est pourquoi j'ai l'honneur, Monsieur le Doyen des Juges d'instruction, de porter plainte entre vos mains en vous demandant de donner à cette affaire la suite légale qu'elle appelle, et en vous priant de croire à l'assurance de mes respectueux sentiments.

Adressée, en France, au doyen des juges d'instruction du tribunal compétent, cette plainte doit être rédigée sur papier timbré en double exemplaire. On joindra éventuellement des documents étayant la plainte.

À un avocat pour lui confier une affaire

Maître,

Un ami, M. Durand-Lagroix, que vous connaissez, je crois, m'a suggéré de vous confier la défense de mes intérêts dans le différend m'opposant à un voisin, qui habite un pavillon mitoyen. Je vous résume succinctement l'affaire :

. . . .

. . . .

Auriez-vous l'obligeance de me fixer un rendez-vous dès que possible ?

En attendant votre réponse, je vous prie de croire, Maître, à l'assurance de mes sentiments distingués.

Jean RAVI
20, rue Sainte-Catherine
92100 BOULOGNE-BILLANCOURT

Congé d'un appartement [du locataire au propriétaire] en pli recommandé, avec demande d'accusé de réception)

M. et Mme DUVAL
23, rue Molière
49000 ANGERS

Angers, le 24 avril 1980.

Monsieur,

Ayant acheté un appartement à Angers, je souhaite résilier le bail à loyer que j'ai signé le 1er juillet 1979 pour l'appartement que j'occupe rue Molière.

Je m'engage donc à libérer cet appartement le 30 juin 1980 en bon état de réparations locatives, et désirerais récupérer à cette date le montant du dépôt de garantie, soit 4 000 F.

Pour la bonne règle, je vous serais reconnaissant de bien vouloir me signifier votre accord.

Veuillez agréer, Monsieur, l'assurance de mes sentiments distingués.

Jacques DUVAL.

NOTE : ce congé est à notifier deux mois, trois mois ou un an à l'avance, suivant les baux.

Pour demander à un propriétaire ou à un gérant un délai de paiement

M. Paul HAMELIN
4, rue Painlevé
92000 NANTERRE

Nanterre, le 28 mai 1979.

Monsieur,

Je suis dans l'impossibilité de vous régler le terme du 1er avril, et vous prie de bien vouloir m'en excuser.

Je suis en effet au chômage depuis le début de ce mois. En principe, je devrais toucher 90 p. cent de mon salaire, ce qui me permettrait de régler sans problème cette échéance. Malheureusement, les versements qui me sont dus ont été retardés.

Puis-je vous demander de bien vouloir attendre une régularisation imminente qui me permettra de régler cette somme ?

En vous remerciant de votre compréhension, je vous prie de croire, Monsieur, à l'assurance de mes sentiments distingués.

À un syndicat d'initiative pour louer un appartement ou une villa durant des vacances :

Monsieur,

Souhaitant passer mes prochaines vacances dans votre station, je vous serais obligé de me communiquer la liste des appartements ou des villas à louer en juillet à Plougasnou ou dans les environs. Nous sommes quatre personnes : deux couples adultes, et nous comptons mettre 4 000 F au maximum dans cette location. À défaut, pouvez-vous me donner la liste des agences immobilières agréées par le syndicat d'initiative ?

Par ailleurs, pouvez-vous m'envoyer les documents touristiques (carte, liste des festivités, moyens de transport...) existants ?

En vous remerciant de votre obligeance, je vous prie d'agréer, Monsieur, l'assurance de mes sentiments distingués.

M. Robert LOISEAU,
45, rue des Fossés
92330 SCEAUX.

Pour réserver une chambre d'hôtel (ou confirmer une demande faite par téléphone) :

M. et Mme SORET
87, rue de Paris
92240 MALAKOFF

Paris, le 5 mai 1980.

Monsieur,

Devant séjourner à Digne les 23 et 24 mai, je vous prie de m'indiquer s'il vous serait possible de me réserver une chambre pour une personne avec salle de bains ou, à défaut, avec douche ?

En vous remerciant, je vous prie d'agréer, Monsieur, l'expression de mes sentiments distingués.

P. SORET.

Pour déposer un chèque à sa banque :

William COLPAERT
65, rue Vauthier
94400 VITRY

Vitry, le 3 juin 1980.

Monsieur,

Je vous prie de déposer sur mon compte (345 763 AF) le chèque que vous trouverez ci-joint : B.N.P. nº 765 947.

Merci de votre obligeance.

Veuillez agréer, Monsieur, l'expression de mes sentiments distingués.

W. COLPAERT.

Reconnaissance de dette envers un ami (sur billet simple) :

Je soussigné Gérard PAPAGENO, habitant 58, rue des Martyrs, 41000 Blois, reconnais avoir reçu ce jour, à titre de prêt, des mains de M. Jean-Michel Ambroise, demeurant 26, av. des Acacias, à Blois, la somme de 5 000 francs.

Si ce prêt porte intérêt, le débiteur ajoutera :

Je m'engage à rembourser cette somme le 31 décembre 1980, moyennant un intérêt de 5 %.

Fait à Blois, le 14 janvier 1980.

Gérard PAPAGENO.

Pour demander un devis à un artisan, à une entreprise :

M. et Mme JOSSIE
4, bd Voltaire
64200 BIARRITZ
Tél. : 64-28-00

Biarritz, le 4 juin 1979.

Monsieur,

Je vous écris sur le conseil de mes amis DASSARY, de Bidart, pour lesquels vous avez effectué de nombreux travaux — et qui en sont très satisfaits.

Je vous serais reconnaissant de bien vouloir passer chez moi un vendredi soir ou un samedi afin que nous puissions voir ensemble comment pourrait être aménagé notre vieux cabinet de toilette, que nous voudrions transformer en salle de bains moderne.

Auriez-vous l'obligeance de nous téléphoner avant de passer ? Merci.

Veuillez agréer, Monsieur, l'expression de mes sentiments distingués.

Paul JOSSIE.

Pour contester le travail d'un artisan :

M. Pierre NEMOS
3, pl. Richelieu
92140 CLAMART

Clamart, le 6 juin 1978.

À : Entreprise SIMON
34, rue de la Gare
92140 CLAMART

Monsieur,

Votre facture n° 1876, du 29 mai, vient de me parvenir, mais je ne la réglerai que lorsque les installations seront conformes au devis établi le 3 avril. En effet, je constate que dans la salle de bains les carreaux nc s'élèvent qu'à 1,20 m du sol au lieu de 1,60 m. Par ailleurs, vos travaux semblent bien avoir provoqué une fuite d'eau à la cave.

Je vous prie donc de passer le plus tôt possible à mon pavillon afin de vous rendre compte des malfaçons.

J'espère que vous rectifierez rapidement l'installation défectueuse, et que vos ouvriers élèveront le carrelage à la hauteur prévue dans le devis. Je vous réglerai la facture immédiatement après l'exécution de ces travaux.

Veuillez agréer, Monsieur, l'expression de mes sentiments distingués.

Pour contester le montant de la facture :

Monsieur,

Le total de votre facture n° 45376, du 16 octobre, me semble erroné. En effet, le nombre d'heures d'ouvriers me paraît excessif. J'ai été présent deux jours sur trois quand ces travaux furent effectués, et je n'ai vu qu'un seul peintre. Pour arriver à votre total, il faudrait qu'il y ait eu trois ouvriers toute la journée du troisième jour.

Je vous prie donc de vérifier cette facture — et, sans aucun doute, de la rectifier.

Attendant votre réponse, je vous prie d'agréer, Monsieur, l'expression de mes sentiments distingués.

Envoi d'un curriculum vitae :

REMARQUES PRÉLIMINAIRES :

Le curriculum vitae a sur les questionnaires fournis par une entreprise l'avantage donné au signataire de se présenter comme il l'entend. Le scripteur doit se mettre en valeur, mais aussi — et ce peut être plus important — savoir « jusqu'où il peut aller », connaître ses limites.

Le C.V. doit être clair et précis, bien ordonné :

– Renseignements d'ordre personnel ;
– Formation (diplômes, brevets, universités, stages, séjours à l'étranger...) ;
– Expérience professionnelle (entreprise[s], ancienneté, progression [s'abstenir de communiquer tout changement de poste ou d'activité qui indiquerait une régression dans la carrière]).

Le C.V. aura la forme sèche d'un rapport, mais il pourra être accompagné d'une lettre adressée au directeur de la firme, au chef du personnel...

Exemple de présentation de curriculum vitae :

Raymond ENBERNE
45, rue Raspail
78000 VERSAILLES

Né le 23 décembre 1945 à Paris (15e)
Marié ; deux enfants

Études : lycée Janson-de-Sailly (Paris-16e)
Études supérieures : H.E.C. (promotion 1968)
Anglais lu et parlé ; allemand lu et parlé ; espagnol lu.

Secrétaire général des Ets Grosard de 1970 à 1980. Licenciement pour raisons économiques, la société ayant cessé ses activités.

Références : M. Paul Rente, chef de cabinet de M. le Ministre du Budget.

Demande de réintégration après accouchement (à adapter à la législation de chaque pays) :

Mme Yvonne COZIC
34, route de la Reine
78220 VIROFLAY

Paris, le 5 mars 1979.

À Monsieur le Directeur des
Ets BRUN & GROSSER

Monsieur le Directeur,

Attendant un enfant pour le début du mois de..., j'ai l'honneur de vous informer que, conformément à la loi, je cesserai de travailler à compter du... J'entends reprendre mon emploi après le congé légal de maternité, soit... semaines après l'accouchement, qui devrait avoir lieu vers la deuxième semaine de...

Veuillez agréer, Monsieur le Directeur, l'assurance de mes sentiments distingués.

Recours hiérarchique auprès d'un ministère (par exemple, en France, une personne licenciée de son emploi avec l'autorisation de l'inspection du travail peut formuler un « recours gracieux » pour demander que l'inspection du travail réétudie la question ; si un tel recours demeure lettre morte, on peut former un « recours hiérarchique », c'est-à-dire porter l'affaire devant l'autorité administrative supérieure à celle à laquelle on a eu affaire : dans notre exemple, il s'agira du ministre du Travail) :

M. JEANNIC Yann — Paris, le 4 juin 1980.
26, rue Carnot
75006 PARIS

à : Monsieur le Ministre du Travail
127, rue de Grenelle
75007 PARIS

Monsieur le Ministre,

Par décision du 10 avril 1980, M. Xavier Durand-Dupont, inspecteur du travail de Paris-9e, a autorisé mon employeur, M. Jules Pécuchet, directeur des Éts Bouvard & Pécuchet, sis rue du Helder (Paris-9e), à procéder à mon licenciement.

J'ai l'honneur de vous demander de bien vouloir annuler la décision de Monsieur l'inspecteur du Travail eu égard aux arguments exposés ci-après :

. . . .

. . . .

Veuillez croire, Monsieur le Ministre, à l'assurance de ma haute considération.

N.B. À envoyer en pli recommandé, avec demande d'accusé de réception.

Lettre de démission (par pli recommandé avec demande d'accusé de réception) :

Paris, le 18 mars 1980.

Monsieur le Directeur,

J'ai l'honneur de vous informer que — pour convenances personnelles — je donne ma démission de l'entreprise.

Conformément à la loi, mon préavis partira donc du 27 mars 1980 et prendra fin le 27 mai 1980.

Je vous prie d'agréer, Monsieur le Directeur, l'expression de mes sentiments distingués.

M. Jean CANARIS,
Service Comptabilité.

Certificat de travail

Je soussigné Emmanuel BORD certific que Madame Nicole GUÉNARD a été à mon service du 15 mars 1975 au 30 avril 1979 en qualité de nurse. Pendant ces cinq années, jc n'ai eu qu'à me louer de son dévouement et ne peux que la recommander chaleureusement à tout nouvel employeur.

Fait à Paris le 29 avril 1979.

Emmanuel BORD,
24, rue du Château
92210 SAINT-CLOUD.

N.-B. — Un employeur mécontent ne peut faire figurer dans un certificat de travail le peu de satisfaction que lui a donné l'employé ou l'ouvrier concerné, ni, *a fortiori,* ses griefs précis. En revanche, un employeur satisfait se devra d'ajouter des appréciations louangeuses.

Pour demander à un journal de passer un rectificatif :

Monsieur le Directeur,
[ou : Monsieur le Rédacteur en chef],

Je proteste énergiquement contre la façon dont votre journaliste, Alain Dietrich, a rendu compte du meeting du P.S.I.D. qui s'est tenu le vendredi 4 juin à Brest, et au cours duquel j'étais intervenu à la tribune. Mon discours a été tronqué de si belle manière que mon propos, « résumé » par les soins de ce monsieur, s'en trouve absolument déformé. Les phrases reproduites ont bien été prononcées, mais après les « coupes » il ne reste plus rien de la teneur exacte de mon allocution.

Vous trouverez ci-joint le texte polycopié de ce discours ; vous pourrez ainsi juger sur pièces.

Je compte sur un rectificatif de votre part dans les plus brefs délais, et vous prie d'agréer, Monsieur le Directeur, l'expression de mes sentiments distingués.

Pour demander les références d'un disque entendu à la radio :

À : Europe 1
26 *bis*, rue François-Ier
75008 PARIS

Messieurs,

Au cours de l'émission « Jazz in the Night », j'ai entendu un disque dont je n'ai pu comprendre le titre. Cet enregistrement est passé à

23 h 15/23 h 18. Il me semble qu'il s'agissait d'un disque de « Fats » Waller.

Auriez-vous l'obligeance de me donner les références de ce disque, en m'indiquant s'il s'agit d'un enregistrement ancien ou si, à votre connaissance, il est encore possible de se le procurer ?

Veuillez trouver ci-jointe une enveloppe timbrée libellée à mes nom et adresse.

Avec mes compliments, je vous prie d'agréer, Messieurs, l'expression de mes meilleurs sentiments.

Pour abonner un parent ou un ami à un journal :

Messieurs,

Je vous prie d'abonner à *Ouest-Bretagne,* pour un an à compter du 1er juin 1980, M. André LE DÛ, habitant 22, rue de l'Évêché à 29211 Roscoff. J'ai prévenu ce vieux parent ; il ne sera donc pas étonné de recevoir ce quotidien.

Vous trouverez ci-joint le règlement, par chèque bancaire Crédit Lyonnais n° 234816 d'un montant de 510,00 F.

Lorsque cet abonnement arrivera à échéance, je vous prie de bien vouloir m'en avertir : je souhaite régler moi-même ce réabonnement.

En vous remerciant, je vous prie d'agréer, Messieurs, l'expression de mes sentiments distingués.

Pour se plaindre d'un retard dans une livraison :

Paris, le 6 juin 1980.

Monsieur,

Je vous ai commandé le 18 avril 1980 un canapé-lit type « Meknès », référence 203 473. Le règlement était joint à la commande (chèque ban-caire Société générale n° 5467689).

Il y a donc à ce jour plus de sept semaines que cette commande vous a été envoyée. La lettre ne m'ayant pas été retournée, alors que mon adresse figurait au dos, je suppose qu'elle vous est bien parvenue.

Je vous prie donc de me dire si cette livraison a seulement subi un retard accidentel et si vous ête toujours en mesure de fournir cet article. Dans le cas contraire, je vous demande d'annuler ma com-mande et de me retourner mon chèque.

Attendant votre réponse, je vous prie d'agréer Monsieur, l'expression de mes sentiments dis-tingués.

Pour signaler la perte d'un objet oublié dans un train :

Monsieur,

Avant-hier 13 février 1980, j'ai oublié dans le train Paris - Saint-Lazare - Caen parti de Paris à 8 h 10 un porte-documents en cuir noir en gare de Bernay, où je suis descendu à 9 h 43.

Ce porte-documents contenait trois ou quatre revues, un dictionnaire français-anglais et deux chemises en carton marquées à mes initiale « B. V. » et contenant des dossiers personnels. Si ce porte-documents vous a été remis, pouvez-vous me le réexpédier à mon domicile 10, route de la Reine 92100 Boulogne-Billancourt — en port dû ?

Avec mes plus vifs remerciements, je vous pri de croire à l'assurance de mes sentiments dis-tingués.

– En France, une telle requête doit être adressée au responsable du bureau des objets trouvés de la gare-terminus de la ligne.

Demande d'exonération de la redevance télévision (en France) :

M. Jérôme MAROT
43, rue de Niort
79200 PARTHENAY

Parthenay, le 24 avril 1978.

À : Monsieur le Directeur
du Service régional
de la redevance

Monsieur le Directeur,

Depuis un mois, je suis maintenant en retraite, et les ressources de notre ménage sont inférieures au revenu-plancher fixé pour un couple.

Nous demandons donc à bénéficier de l'exonération de la taxe télévision.

En vous remerciant vivement, je vous prie de croire à l'assurance de ma considération distinguée.

Demande d'autorisation d'installation d'usine (à adresser au préfet, et au maire de la commune où est envisagée cette installation) :

Monsieur le Préfet de Maine-et-Loire,

Ma femme et moi avons l'intention de créer une importante imprimerie sur le territoire de la commune de Marchenoir, route de Brissac, au lieu-dit « le Champ d'naviaux ». Cette imprimerie fonctionnerait de 7 heures à minuit, mais le terrain est à une extrémité de ce village ; les habitations les plus proches sont situées à environ 100 mètres. En conséquence, le bruit des linotypes et des rotatives ne peut être une nuisance ; d'ailleurs, les locaux seront conçus et construits de façon à atténuer au maximum l'inévitable bruit de fond intérieur.

J'attire votre attention sur le fait que cette entreprise fournirait du travail à quelque cent cinquante personnes dans un arrondissement où la situation de l'emploi est préoccupante.

En espérant recevoir — après enquête *de commodo et incommodo* — l'autorisation d'établir cette imprimerie.

Je vous prie d'agréer, Monsieur le Préfet, l'expression de ma haute considération.

Fait à Angers, le 7 mars 1979.

Demande de renseignements avant d'engager un(e) employé(e) :

Mme J. Bouzet
34, rue Palissy
64100 Bayonne

Bayonne, le 6 mai 1980.

Madame,

Recherchant une femme de ménage - cuisinière, j'ai reçu la visite de Mme Nicole Lacombe, qui me dit avoir travaillé chez vous il y a quelques mois. Cette personne m'a produit une excellente impression, et je suis prête à l'engager.

Puis-je vous demander si vous considérez Mme Lacombe comme une personne tout à fait sûre à qui je pourrais confier la garde de notre pavillon au mois d'août ?

En vous remerciant, je vous prie d'agréer, Madame, l'expression de mes sentiments distingués.

En réponse à une sommation d'huissier de justice pour obtenir un délai de paiement :

Sèvres, le 6 juin 1980.

Monsieur l'Huissier,

Je reconnais sans contestation devoir toujours à M. et Mme Foucault la somme de 8 000 francs, que j'aurais dû leur rembourser avant le 1er janvier de cette année, ainsi que nous en étions convenus d'après les termes de la reconnaissance de dette établie sur billet simple.

C'est bien involontairement que je n'ai pu tenir cet engagement, les affaires de mon magasin n'ayant guère été brillantes ces derniers mois. Pourriez-vous faire attendre M. et Mme Foucault, dont je comprends l'impatience ? Je propose de les rembourser en quatre fois, à raison de 2 000 francs par mois à compter du 20 juin.

Espérant en votre compréhension, jc vous prie d'agréer, Monsieur l'Huissier, l'assurance de mes sentiments distingués.

Fait à Sèvres, le 6 juin 1980.

Camille Bouchardon,
Chemiserie - ganterie
« Au Brummell »
47, bd Magenta
92310 Sèvres

CARTE DE VISITE ET CARTE POSTALE, TÉLÉGRAMME ET PNEUMATIQUE

LA CARTE DE VISITE

La carte de visite est un rectangle de bristol où figurent, gravés ou imprimés, les nom et prénoms, l'adresse, le téléphone... Il est recommandé de ne pas cumuler sur une seule et même carte de visite renseignements privés et renseignements d'ordre professionnel (titre, fonction, nom et adresse de l'entreprise, etc.). On admet toutefois qu'un homme mentionne sa profession ou son titre principal sur sa carte privée. De plus, il ne manque pas de professions où une personne doit pouvoir être jointe à tout moment de la journée. L'efficacité — parfois la sécurité — demande alors l'existence d'un bristol où tous ces renseignements seront portés.

Carte de visite privée (chacun, quel que soit le sexe, choisira la disposition typographique, les caractères, l'impression ou la gravure, le texte selon son goût. Disons seulement que la simplicité et la sobriété doivent être de règle).

Jacqueline FAURE

Mademoiselle Anne EMONE

603.11.11

Jean et Irène GODEAU

520-00-01

2, square J.- Jaurès
75005 PARIS

Pierre et Inès DUPONT
23, rue des Berges
58210 VARZY
(16) 40-20-03

Madame Jeanne GIROD

2, rue de la Pendue

91120 PALAISEAU

JEAN-PAUL DELAUNAY

22, rue Rieux
60600 CLERMONT

M. et Mme Paul JAMET

REMARQUES :

1) Un couple peut mettre l'abréviation *M. et Mme.* Dans ce cas, seul le prénom du mari doit figurer. L'usage, jusqu'à présent, n'accepte pas la formule :

M. et Mme Paul et Nicole ROUX

La présence doublée de la conjonction *et* n'est effectivement pas heureuse.

2) Une femme mariée, si l'on en croit les guides de savoir-vivre, ne peut pas mentionner son prénom sur sa carte de visite. La mention *Madame* doit toujours être suivie du prénom et du nom du mari :

Madame Robert BOURGES

Mais on ne voit pas au nom de quoi la formule : *Madame Simone Bourges* serait à condamner. De même, une femme mariée peut très bien, sur sa carte propre, mentionner son nom de jeune fille à la suite du nom de son mari :

Simone BOURGES-DESMARAIS

3) Une divorcée, une veuve, une célibataire, indiqueront leurs nom et prénom, et éventuellement l'adresse et le numéro de téléphone. Une femme d'un certain âge devenue veuve sur le tard pourra garder jusqu'à sa mort des cartes de visite au nom de *Madame Albert Lerouge.* Les mœurs, les us et coutumes évoluent de plus en plus vite, et, de nos jours, rares sont les personnes qui font imprimer des cartes où figurent les mots *veuve* ou *veuf,* ou les abréviations Vve, V^{f}.

Carte de visite professionnelle

Le(s) titre(s) et la (les) fonction(s) suivront le nom de l'homme ou de la femme (mariée, divorcée, célibataire ou veuve). Le nom de l'entreprise et son adresse complète figurent également, le plus souvent au bas du bristol. Des membres de professions libérales remplaceront le nom de l'entreprise par les horaires de rendez-vous, de consultations, etc.

Robert Borda
Directeur départemental
des Assurances montagnardes

A.M.
Siège social : 20, rue Napoléon 770-00-02
75020 Paris

Monique Borsalino
Service Relations publiques

Théâtre du Sud
parisien
92170 Vanves

Alain Benard
Librairie Benard & Rouy

23, bd Voltaire
75015 Paris

Magasin ouvert
de 9 h à 19 h 30

Bourassa
Tailleur

24, av. Victor-Hugo
37130 Langeais 603-03-03

Docteur Jean Rassus
Interne des hôpitaux

25, rue Nicolo
62000 Arras

Consultations :
9 h - 12 h, 16 h - 19 h

Henri Guérin
Masseur-kinésithérapeute

Cabinet : 20, place de la Victoire
19140 Uzerche

Dans le cas d'une carte « mixte » privée - professionnelle, la disposition de tous les renseignements pourrait être la suivante, pour un journaliste par exemple :

Pierre VÉRAN

24, rue du Vieux-Pont	« L'UNIVERS »
95100 ARGENTEUIL	2, rue du 4-Septembre
920-03-99	743-24-20

La carte de visite peut servir en maintes circonstances dans la vie sociale aussi bien que dans la vie professionnelle :

– Jointe, sous enveloppe, à des envois de fleurs ou à des cadeaux qu'un commerçant livrera, à des paquets que l'on postera. La carte ne portera aucune ligne manuscrite ou bien seulement quelques mots.

– Pour l'envoi de félicitations (fiançailles, mariage, naissance, promotion, succès, décoration...).

– Pour l'envoi de condoléances (mais un proche assistera aux obsèques ou témoignera sa sympathie par une lettre).

– Pour annoncer à toutes les connaissances un changement d'adresse.

– Pour transmettre une invitation à un déjeuner, à un dîner (s'il s'agit d'une véritable réception, on aura recours au faire-part imprimé).

– Pour décliner une invitation, ou pour remercier ses hôtes après une invitation.

– Pour accompagner un règlement d'honoraires, un versement de loyer, le règlement d'une facture, etc., quand il n'y a pas lieu de faire une longue lettre d'explications.

LA CARTE POSTALE

La carte postale de vacances permet souvent d'envoyer ses amicales pensées à des relations, à des amis, que l'on en vient à négliger dans la vie courante : ils n'ont pas le téléphone, ils habitent à plusieurs centaines de kilomètres, etc. Sauf si l'on effectue un voyage organisé épuisant mené à grande vitesse, on a généralement le temps de choisir les cartes postales qui plairont aux destinataires (attention aux cartes humoristiques : trouvées amusantes dans l'ambiance des vacances, elles peuvent se révéler vulgaires et laides).

Hormis le cas où le signataire a beaucoup de renseignements à donner, éviter d'écrire en style télégraphique : « Bien arrivés - beau temps - hôtel confortable... ». On a généralement toute la place nécessaire, alors il est inutile — mais désinvolte — de bâcler son message d'amitié. On se gardera aussi d'omettre la formule finale de politesse.

Seuls les exhibitionnistes coucheront sur le papier des confidences intimes ou personnelles. Une carte postale passe par de nombreuses mains avant d'être remise au destinataire, et le hasard peut faire qu'un tiers puisse reconnaître le scripteur et/ou le correspondant. Enfin, le destinataire peut très bien ne pas apprécier du tout le manque d'égards et de discrétion de l'expéditeur.

Éviter d'attendre le dernier jour du mois de vacances pour écrire toutes les cartes postales, du moins celles destinées à des parents ou à des amis susceptibles. Ceux-ci trouveraient bien tardive votre sollicitude.

LE TÉLÉGRAMME

Un télégramme peut pallier l'absence de téléphone pour la transmission de communications qui ne souffrent aucun retard. Bien souvent, malheureusement, c'est l'annonce d'une catastrophe plutôt que celle d'un événement heureux. Aussi, pour ne pas provoquer d'émotions inutiles à certaines personnes âgées fragiles, il convient de ne se servir du télégramme qu'en des circonstances telles qu'on ne puisse faire autrement.

Si l'on dispose soi-même d'un téléphone (mais non le destinataire, évidemment), il est possible, en France, de transmettre le texte à la poste sans avoir à s'y rendre. Toujours en France, on peut expédier un télégramme avec demande d'accusé de réception (ainsi l'expéditeur est sûr que le destinataire aura bien reçu ledit télégramme).

LE PNEUMATIQUE

Un message pneumatique — lettre ou carte — ne peut dépasser le poids de 30 g. Ce message doit pouvoir être aisément plié (les pneumatiques sont acheminés dans de petits tubes mus par air comprimé), et la mention pneumatique doit être portée sur l'enveloppe de la lettre.

Ce moyen de communication, à notre connaissance, n'existe en France qu'à Paris et pour certaines localités de banlieue.

CHAPITRE II

SAVOIR TÉLÉPHONER

VOIX ET DICTION

Chacun de nous est doté d'une voix caractéristique. Cela tient à la dimension, à la forme, à la disposition des os, des cartilages et des muscles. Le son laryngé est modifié par diverses cavités de résonance : bouche, fosses nasales, pharynx, qui provoquent des différences d'intensité ou de timbre.

Il y a des voix « bien timbrées », « haut perchées », plates, monocordes, plaisantes, colorées, criardes, désagréables... Certaines anomalies de la voix peuvent être corrigées par la phoniatrie, discipline médicale qui utilise aussi bien la neurologie que l'oto-rhino-laryngologie. L'orthophonie s'applique à corriger les troubles du langage et de l'élocution : bégaiement, retards de langage, etc. En dehors de ces cas extrêmes, il est possible de rendre agréable une voix qui — au départ — ne l'est guère. Cette voix « souriante » doit être :

- naturelle
- sincère
- flexible
- détendue.

a) Naturelle

Il ne faut pas se croire obligé, sous prétexte qu'il s'agit d'un entretien important, d'adopter un ton grave, sérieux, qui semblera affecté.

b) Sincère

L'interlocuteur ressent parfaitement la sincérité d'une voix qui exprime sans détours des sentiments ou expose clairement un problème. En revanche, il sera désagréablement prévenu contre une voix qui lui paraîtra retenue, dissimulée. Le téléphone, impitoyable, ne pardonne pas des accents peu sincères.

c) Flexible

La flexibilité va de pair avec la sincérité. Elle communique simplement plus de vie — par le rythme, l'intonation et le débit — à des propos d'une grande franchise, mais qui seraient mal transmis, trahis même, par une voix sans couleur, sans modulation.

d) Détendue

Dans la conversation téléphonique, l'interlocuteur peut croire être l'objet d'une certaine agressivité, qui, certes, peut être réelle et discrète. Mais n'est-elle pas aussi l'expression maladroite de la timidité ou de l'émotivité ? Au contraire, un correspondant sera favorablement impressionné par une voix ferme, agréable, séduisante.

Avant de téléphoner

Vous êtes très émotif... À l'idée de devoir téléphoner, vous sentez que votre gorge se noue, que vous allez bégayer, rester sans voix. Vous êtes « sur les nerfs »... Rien ne va : les contrariétés s'accumulent, les contretemps se multiplient, les ennuis s'amoncellent.

Dans un cas comme dans l'autre, si vous ne voulez pas donner une image fausse, défavorable, de vous-même, patientez, ne téléphonez pas tout de suite : détendez-vous. Il faut réduire — éliminer si possible — votre tension nerveuse, votre appréhension.

Essayez de respirer profondément, lentement, pendant quelques minutes. Éventuellement, exécutez quelques mouvements de décontraction de la tête : quelques rotations, par exemple. Chassez — momentanément — les tracas du jour. Mais il vaut mieux éviter de rechercher avec trop d'intensité une description qui ne vient pas. On n'aboutirait, la plupart du temps, qu'à plus d'énervement et à plus d'agressivité.

Le débit et le ton

Le débit de la voix doit être modéré. Il permet à l'interlocuteur de bien comprendre tout ce qu'on dit, et, au besoin, lui laisse le temps de prendre quelques notes sans qu'il ait à faire répéter le locuteur.

Un débit précipité donne à notre correspondant l'impression que nous ne savons pas ordonner nos propos, que nos dossiers doivent constituer un fatras indescriptible, que nous sommes de perpétuels « agités » sans grande efficacité, sans maîtrise normale de nous-même.

Un débit lent, mou, languissant, risque de donner à notre interlocuteur une idée peu flatteuse de notre acuité intellectuelle. De plus, il s'impatientera (à plus forte raison s'il s'agit d'un fonctionnaire accablé de « coups de téléphone », d'un homme d'affaires au temps précieux...) et s'irritera. Bref, nous serons importun et mal considéré.

Inconsciemment, parce que nous ressentons qu'une conversation téléphonique est aussi importante et doit être aussi « soignée » qu'une lettre, nous prenons un ton artificiel qui nous est étranger. La plupart du temps, ce ton cérémonieux, conventionnel, donne malencontreusement une idée de froideur, de distance, qui nous dessert.

Là encore, il faut essayer de se décontracter, d'aborder l'entretien comme si l'on était en présence même de son correspondant.

L'articulation, la prononciation

Une mauvaise prononciation peut être à l'origine de quiproquos, de malentendus. Les différences orthographiques entre un futur et un conditionnel, par exemple, doivent être traduites phonétiquement : l'affirmatif futur *je verrai (vêré)* se différencie bien ainsi du restrictif conditionnel *je verrais (vêrê).*

La langue française est riche en homonymes et en quasi-homonymes, ces mots qui n'ont souvent qu'une prononciation voisine (avec notre ami P.-V. Berthier, nous leur avons consacré un chapitre de nos *Pièges du langage 2,* dans cette même collection) ; ainsi *homme, heaume* et *« home ». baume* et *bôme, pause* et *pose, pâte, patte* et *pat, taie, thé* et *tait* (du verbe *taire*), *brin et brun...* Si nous ne voulons pas créer de désopilantes confusions ou de fâcheux contresens, attachons-nous à prononcer le mieux possible, ce qui ne signifie pas adopter un style oratoire digne de la Comédie-Française ou du Boulevard.

La respiration, le souffle

« Bien respirer » consiste à disposer d'un souffle suffisant, qui permet, d'une part, de discipliner son élocution, de bien placer sa voix, et, d'autre part, de marquer à bon escient les pauses et les intonations.

De plus, maîtriser sa respiration aboutit à atténuer une tension nerveuse, une émotivité, excessives.

LA PRATIQUE DE L'ENTRETIEN TÉLÉPHONIQUE

Généralités. — Convenance et courtoisie

La personne qui appelle est nommée « demandeur ». Celle qui reçoit l'appel est le « demandé ». La politesse veut que ce soit le demandeur qui mette fin à la conversation. À moins qu'il n'ait affaire à un réel « casse-pieds », le demandé évitera de clore lui-même l'entretien : cela signifie ni plus ni moins que les propos de l'interlocuteur sont sans intérêt et ennuyeux.

Si la ligne téléphonique a été coupée, *c'est le demandeur qui rappelle.* Cette notion simpliste du « code de la route téléphonique » permet d'éviter cette situation stupide où, rappelant chacun de son côté, les deux correspondants n'arrivent plus à se joindre pendant de trop nombreuses minutes !

Le demandeur *doit toujours se présenter.* Trop souvent l'on reçoit des appels de correspondants ignorant la plus élémentaire politesse, qui, tout de go, demandent : « Qui c'est ? », « Qui est à l'appareil ? », « Quel est votre numéro ? », pour raccrocher brutalement dès lors que l'on s'enquiert de savoir qui ils souhaitaient joindre.

Evitez — quand cela n'est pas absolument urgent — de téléphoner aux heures des repas. Calculez large : tout le monde ne déjeune ou ne dîne pas dans la même demi-heure ou la même heure ! Évitez aussi les heures matinales ou trop tardives. Mais, bien sûr, vous pouvez parfaitement convenir avec vos parents ou amis, pour des raisons de commodité, de réserver certains « créneaux » aux conversations téléphoniques (après le dîner, après le film télévisé, etc.).

Si votre correspondant ne répond pas immédiatement, ne raccrochez pas au bout de dix secondes : chez lui ou à son travail, il peut être occupé à cet instant précis. Au bureau, le demandé peut déjà être en ligne avec une autre personne. Il faut lui laisser le temps de prendre congé, de faire patienter l'autre demandeur, de finir d'écrire une phrase, de répondre à une question.

Chez lui, le demandé peut être à l'autre bout de l'appartement, dans son jardin... ou dans son bain : laissez-lui le temps de se sécher rapidement !

Si vous êtes le demandé, ne tardez pas à décrocher : après quelques appels demeurés sans réponse, un demandeur peut se décourager ; cela peut provoquer d'ennuyeux retards ou des contretemps. Pour faire croire qu'ils sont très occupés, ou que les clients sont très nombreux et que l'entreprise est prospère, certains artisans, certains hommes d'affaires, certains hauts fonctionnaires croient utile de ne décrocher leur combiné qu'au bout de nombreuses sonneries. Cela est puéril, fait perdre du temps aux demandeurs et les agace.

Si le demandeur pense que la conversation doit être longue, il est recommandé de demander à l'interlocuteur si on ne le dérange pas. S'il est très occupé, il proposera sans doute de rappeler lui-même à une autre heure. De toute façon, il faut toujours essayer d'éviter les appels prolongés.

Téléphone et discrétion

Évitez d'imposer une conversation d'ordre privé à un correspondant qui se trouve à son bureau. La plupart du temps, il y aura d'autres personnes autour de lui : collègues, secrétaire, etc. Cela est gênant pour lui s'il s'agit de propos d'un caractère trop intime. Son entourage pourra également en être gêné... ou en rire. Évidemment, il existe des exceptions. Par ostentation et fatuité, certains demandés se complaisent à étaler leurs relations ou à déballer leur vie privée (les conquêtes féminines pour un don Juan de bureau, les flirts pour la vamp du secrétariat) en plein lieu de travail. Cela traduit d'une manière très révélatrice leur suffisance, leur outrecuidance, leur goujaterie, leur mépris profond d'autrui (entourage et correspondants).

Vous êtes obligé d'appeler quelqu'un sur son lieu de travail, et cela pour un motif d'ordre privé... Généralement, ces appels sont tolérés si chaque bureau dispose de plusieurs postes. Mais à l'usine, ou dans une entreprise ne disposant que d'une ou de quelques lignes, l'affaire est plus difficile. Le demandeur doit alors faire preuve de tact et d'intuition.

Peut-être le demandé a-t-il près de lui quelque importun, le « fouineur » du bureau. Avant d'aborder le sujet de votre appel, assurez-vous auprès de votre correspondant que vous pouvez lui parler en toute liberté.

Votre correspondant peut être absent, momentanément, du bureau. Un interlocuteur aimable, serviable, propose de prendre votre message afin de le transmettre. Certes — et heureusement — il existe des gens sincèrement complaisants... et discrets. Mais il convient — à défaut de pouvoir réitérer votre appel — de ne pas se montrer trop prolixe. Dans la mesure du possible, ne mentionnez que votre nom et/ou un numéro de téléphone à rappeler. S'il est indispensable d'exposer plus précisément — donc plus longuement — l'objet de votre appel, demeurez réservé. Nous connaissons tous ces êtres indiscrets qui, apparemment obligeants et sympathiques, offrent toujours de noter une commission. Votre correspondant pourra vous reprocher ensuite (à juste titre) d'avoir en fait manqué de discrétion et révélé sottement des faits d'ordre privé à des individus — hommes ou femmes — que tous ceux avec qui ils travaillent tiennent pour ce qu'ils sont : des concierges, des commères, des fouinards, des cancaniers...

À côté du fouinard de bureau, « caractère » que La Bruyère eût pu ajouter à sa remarquable étude de mœurs, il y a l'« inquisiteur ». Celui-là — se prévalant sans doute du fait qu'il est habituellement assis près du téléphone ou bien qu'il s'est donné la peine de décrocher — rétorque de sang-froid au demandeur qui souhaite parler à un collègue : « C'est de la part de qui ? ». Indiscrétion sournoise là aussi... Le demandeur doit rester imperturbable et répliquer fermement quelque chose comme : « C'est personnel », ou faire remarquer nettement son incorrection au curieux. Le demandé, s'il a entendu la requête indiscrète de son — ou de sa — collègue, se doit d'intervenir résolument afin que semblable « voyeurisme téléphonique » ne se reproduise pas.

STANDARD, SECRÉTARIAT ET TÉLÉPHONE

Une secrétaire doit fréquemment se servir du téléphone ; une téléphoniste, une standardiste, rencontrent quotidiennement différents problèmes dans leur travail de communication. Le « bon usage » du téléphone exige de ces professionnelles un certain nombre de qualités personnelles auxquelles il leur faut ajouter l'apprentissage du « code téléphonique ».

Les qualités que l'on souhaite voir réunies chez une secrétaire ou une standardiste sont : l'intelligence et le sens de la diplomatie, du tact et de la discrétion, une excellente mémoire et de l'ordre, la patience et l'égalité d'humeur, une bonne élocution et une ouïe fine (cela surtout pour une standardiste) capable de reconnaître les voix. Avouons que c'est demander là beaucoup plus de vertus que la moyenne rencontrée chez la plupart d'entre nous !

De plus, on demande à ces excellentes collaboratrices une bonne connaissance du français, une pratique non négligeable du savoir-vivre (entre autres, des préséances), ainsi que d'avoir l'air de s'intéresser aux interlocuteurs...

Secrétaires et standardistes doivent avoir à la portée de la main en plus des répertoires de noms propres et des bottins, l'organigramme de leur entreprise (qui doit être tenu à jour : les changements de locaux, les transferts, mutations au sein de la société ou de l'usine seront immédiatement notés sur ledit organigramme), l'annuaire intérieur. Éventuellement peuvent s'y ajouter un cahier d'enregistrement des communications, un cahier de consignes, un lexique du vocabulaire (termes techniques, sigles, noms de produits...) propre à l'entreprise.

« Code téléphonique ». — Règles à suivre par la secrétaire ou la standardiste.

1° La secrétaire est le *demandeur.*

Le patron de la secrétaire demande à celle-ci d'appeler M. Dupont (ou bien : un membre de la société Y... demande à la standardiste de l'entreprise d'appeler ledit M. Dupont). Le « bon usage » consiste alors à s'enquérir poliment de l'identité du correspondant, puis à se présenter. On aura ainsi selon les cas :

a) « Allô ? Bonjour, monsieur. Vous êtes bien le 444-22-22 ? Ici Mlle Bertin, la secrétaire de M. Pin, de la société Z..., qui souhaiterait vous parler. »

b) « Allô ? La société R.R.T. ? Bonjour, madame. Ici Mlle Bertin. M. Pin désirerait parler à M. Dupont. » (La secrétaire de M. Dupont — ou la standardiste de son entreprise — connaît déjà Mlle Bertin et sait qui est M. Pin.)

2° La standardiste (ou la secrétaire) est le *demandé.*

Un appel se manifeste au standard (sonnerie ou voyant lumineux)... Si la communication ne peut pas être établie sur-le-champ, la standardiste doit mettre « en garde » (en attente) le correspondant en lui expliquant la raison (ligne occupée, recherche de la personne demandée — qui ne se trouve pas actuellement dans son bureau, etc.). Une « attente musicale » est, généralement, appréciée par le demandeur, qui a toujours tendance à exagérer le temps perdu. Si vraiment on fait par trop appel à la patience du demandeur, il est recommandé d'intervenir de temps en temps afin de s'excuser et de lui montrer que l'on ne néglige pas son appel. La standardiste ne doit pas perdre de vue l'ordre des appels si elle a dû mettre plusieurs demandeurs en attente, Cet ordre peut cependant être modifié en fonction de l'importance du motif de l'appel... ou de l'importance des correspondants.

La standardiste doit identifier rapidement le demandeur : vendeur, représentant, client, fournisseur, ou déterminer l'objet de l'appel : commande, réclamation, demande de renseignements, etc., afin de passer cette communication au destinataire adéquat. Une identification imprécise risque fort d'entraîner pour le demandeur d'avoir à décliner son identité et à répéter le motif de son appel à plusieurs personnes, qui se renverront l'interlocuteur de poste en poste. Généralement, il faut craindre que ces multiples redites ne finissent par agacer même un demandeur de bonne composition.

La standardiste doit s'enquérir, en principe, de l'identité du demandeur (toutefois, dans une entreprise, on peut juger non nécessaire, voire maladroite, cette identification préalable). Elle n'insistera pas auprès d'un interlocuteur qui répliquera sèchement qu'il s'agit d'un appel « strictement personnel ». Le tact et la finesse interdisent d'aller s'enquérir de la présence de la personne demandée, puis de reprendre en ligne le demandeur et de lui dire : « De la part de qui, s'il vous plaît ? ». Cela revient tout bonnement à avouer que le destinataire est bien dans son bureau, mais désire sélectionner ses interlocuteurs. Il est évident que le demandeur ne sera pas dupe si, une fois le renseignement obtenu et transmis, la standardiste lui déclare : « M. B... est absent pour la journée ». Il vaut mieux dire que M. B... est en conférence pour une durée indéterminée et qu'il est impossible de lui passer la communication en pleine réunion. Ensuite, on doit proposer au demandeur de le rappeler et lui suggérer de laisser ses coordonnées complètes et éventuellement, pour gagner du temps, noter l'objet de l'appel — ou bien lui proposer de le mettre en communication avec la secrétaire de M. B...

Si le demandeur ne se présente pas, une secrétaire doit s'enquérir, sur un ton naturel, de son identité, puis répliquer : « Un instant, je vous prie. Je vais voir s'il (si M. B...) est dans son bureau. » Si l'interlocuteur sait que le demandé et sa secrétaire partagent le même bureau, la collaboratrice ne peut que déclarer : « M. B... est absent pour la matinée » si elle sait que M. B..., présent, ne souhaite pas parler au demandeur. Elle proposera de noter l'objet de l'appel. Elle peut également indiquer à l'interlocuteur l'heure à laquelle il pourrait rappeler pour essayer de joindre M. B... (mais il peut y avoir un problème de préséance : si le demandeur est un personnage important — auquel M. B..., quoique présent, n'est pas en mesure de répondre immédiatement : dossier incomplet, attente de renseignements de la part d'un tiers... —, la secrétaire doit alors proposer que ce soit M. B... qui rappelle).

Si la personne demandée n'est pas en mesure de donner au demandeur tous les renseignements qu'il souhaitait obtenir, elle peut proposer à l'interlocuteur de lui passer un autre service qui pourra lui apporter un complément d'informations. Il est courtois, dans ce cas, d'exposer succinctement la teneur de l'appel et les éléments de réponse déjà fournis afin que le « deuxième demandé-relais » n'ait pas à réclamer au demandcur la répétition du motif de son appel.

La vivacité d'esprit ou un emploi du temps surchargé... ou bien l'élocution languissante, hésitante, de l'interlocuteur incitent souvent à commettre une grave incorrection : celle qui consiste à interrompre le correspondant pour finir ses phrases, lui suggérer un mot qui ne lui vient pas à l'esprit... Impolitesse à l'égard d'amis, ce mauvais réflexe peut avoir des conséquences désagréables si l'on a affaire à un supérieur hiérarchique ou à un « gros client » !

Tout comme dans les conversations privées, c'est au demandeur de mettre fin à l'entretien. La standardiste ou la secrétaire doit attendre que le correspondant ait bien fini de parler et ait raccroché.

UN ALPHABET DE CONVENTION

Pour éviter toute erreur dans l'audition d'un nom propre ou une mauvaise interprétation d'un mot à l'orthographe compliquée, on utilise un « alphabet de convention », code adopté par les téléphonistes des P.T.T. Plutôt que d'introduire des « variantes » qui pourraient être mal comprises par le correspondant si la ligne est défectueuse, mieux vaut s'en tenir uniquement à cet alphabet :

A : Anatole
B : Berthe
C : Célestin
D : Désiré
E : Eugène (É : Émile)
F : François
G : Gaston
H : Henri
I : Irma
J : Joseph
K : Kléber
L : Louis
M : Marcel
N : Nicolas
O : Oscar
P : Pierre
Q : Quintal
R : Raoul
S : Suzanne
T : Thérèse
U : Ursule
V : Victor
W : William
X : Xavier
Y : Yvonne
Z : Zoé

Il est superflu de répéter le mot « comme » à chaque lettre (« LISZT... J'épelle : L comme Louis, I comme Irma, S comme Suzanne... »). Dites seulement : « LISZT, j'épelle : Louis, Irma, Suzanne... »

Il existe aussi un alphabet international d'épellation, repris par l'armée à l'usage des transmissions. Nous le mentionnons également ici, car il peut s'avérer utile lors de conversations avec l'étranger :

A :	Alpha	**N :**	November
B :	Bravo	**O :**	Oscar
C :	Charlie	**P :**	Papa
D :	Delta	**Q :**	Québec
E :	Echo	**R :**	Roméo
F :	Fox-trot	**S :**	Sierra
G :	Golf	**T :**	Tango
H :	Hôtel	**U :**	Uniform
I :	India	**V :**	Victor
J :	Juliet	**W :**	Whisky
K :	Kilo	**X :**	X-ray
L :	Lima	**Y :**	Yankee
M :	Mike	**Z :**	Zulu

• À l'armée, en cas de conversations difficiles en radiophonie, il est recommandé d'épeler tous les chiffres (cela peut être de quelque importance !) selon le code suivant :

1 :	un l'unité	**6 :**	six, deux fois trois
2 :	deux, deux fois l'unité	**7 :**	sept, quatre et trois
3 :	trois, deux et un	**8 :**	huit, deux fois quatre
4 :	quatre, deux fois deux	**9 :**	neuf, cinq et quatre
5 :	cinq, trois et deux	**10 :**	dix, deux fois cinq

Ces conventions peuvent être reprises dans le cas extrême d'entretiens téléphoniques quasi inaudibles.

• Il est nécessaire d'avoir à portée de la main, près du téléphone, certains accessoires — et cela même si l'on n'est pas secrétaire de direction ou standardiste d'entreprise. Outre les bottins, annuaires, répertoire des numéros usuels (parents, amis bureau, services d'urgence, de dépannage...), il est bon de trouver à proximité de l'appareil plusieurs stylos et crayons, un (ou des) bloc-notes (à feuilles détachables).

Pour noter, éventuellement, l'heure de l'entretien — ou pour surveiller la longueur de la conversation ! — il n'est pas inutile de placer non loin de là un réveil, une pendule, etc., que l'on peut consulter du regard tout en téléphonant. Si l'on doit très souvent prendre des notes au cours d'entretiens, l'idéal est d'installer l'appareil sur un bureau, une table, etc., où l'on peut écrire confortablement. De petits meubles conçus à cet effet, sortes de combinés « fauteuil-secrétaire-bureau-support de téléphone », se trouvent dans le commerce. Sinon, se réserver la possibilité de s'asseoir sur la moquette ou sur le parquet en une place qui soit éclairée ! Pour ce dernier sujet, il va de soi que l'appareil téléphonique doit être situé dans une zone point trop obscure de l'appartement ou du bureau, ou bien suffisamment éclairée par une lampe, une applique, un lampadaire...

Matériels annexes

Le demandé peut se trouver parfois dans l'obligation de faire patienter quelques instants son correspondant. Plutôt que de laisser ce dernier face au silence ou de convenir de reprendre l'écouteur dans X... minutes (ce qui peut être irritant : l'un essaie de reprendre la conversation, constate que l'autre n'est pas revenu, s'éloigne à nouveau alors que le correspondant était sur le point de rentamer l'entretien, etc.), on peut faire l'achat — peu onéreux — de petits appareils appelés « attentes ». Il suffit de poser le microphone-récepteur sur cet appareil pour que l'interlocuteur entende un texte parlé ou, le plus souvent, de la musique pendant le temps de la « mise en réserve ». Un autre petit appareil parfois bien pratique consiste en un amplificateur que l'on adapte sur le téléphone : il permet d'avoir les deux mains libres (car il n'est plus nécessaire de tenir le microphone-récepteur, lorsque le correspondant intervient longuement) et, ainsi, de prendre aisément des notes.

Lorsque l'on se sert beaucoup du téléphone, dans sa vie privée et/ou professionnelle, on peut envisager la location ou l'achat d'un répondeur automatique. Celui-ci remplace, d'une façon plus personnalisée et plus complète, le service des « abonnés absents ». En cas d'absence de votre part, le répondeur automatique émet — en réponse à un appel — un message plus ou moins long qui indique au demandeur quand vous rentrerez (se méfier toutefois du renseignement précieux que cela représente pour d'éventuels cambrioleurs !), l'informe de l'endroit (adresse postale, numéro de téléphone) où il peut vous joindre en cas d'urgence, etc. Les appareils les plus perfectionnés — les répondeurs-enregistreurs — permettent aux personnes qui souhaitent vous joindre de laisser un message (raison de leur appel, coordonnées qui vous permettront de les rappeler...). Certains vous permettent même, à partir de n'importe quel téléphone extérieur, d'écouter les messages enregistrés, puis d'effacer ou non, à distance, ces enregistrements.

BIBLIOGRAPHIE

Le Parfait Secrétaire, Louis Chaffurin (Larousse)
Le Nouveau Savoir-vivre en 10 leçons, Annie Chartrette (Hachette)
Manuel pratique de correspondance privée et commerciale, Umberto Casagrande (Éditions de Vecchi)
La Secrétaire, « Guide pratique Nathan » (Nathan)
Parlez mieux, écrivez mieux (Sélection du Reader's Digest)
Mieux utiliser le téléphone, Sophie de Menthon (Les éditions d'organisation)

TABLE DES MATIÈRES

J.-P. Colignon
et P.-V. Berthier

La pratique du style simplicité précision harmonie

Le mot propre – L'ordre des mots – La cacophonie
Style et accord du verbe
La concordance des temps
Langages à la mode, snobismes et préciosités
Les «figures»
Platitude, lourdeur, banalité et mots «passe-partout»
Les clichés – Langage parlé, langue écrite – La ponctuation
Des fautes qui n'en sont pas toujours
Citations et références

Duculot